한국 소아전문소생술

Korean Pediatric Advanced Life Support (KPALS)

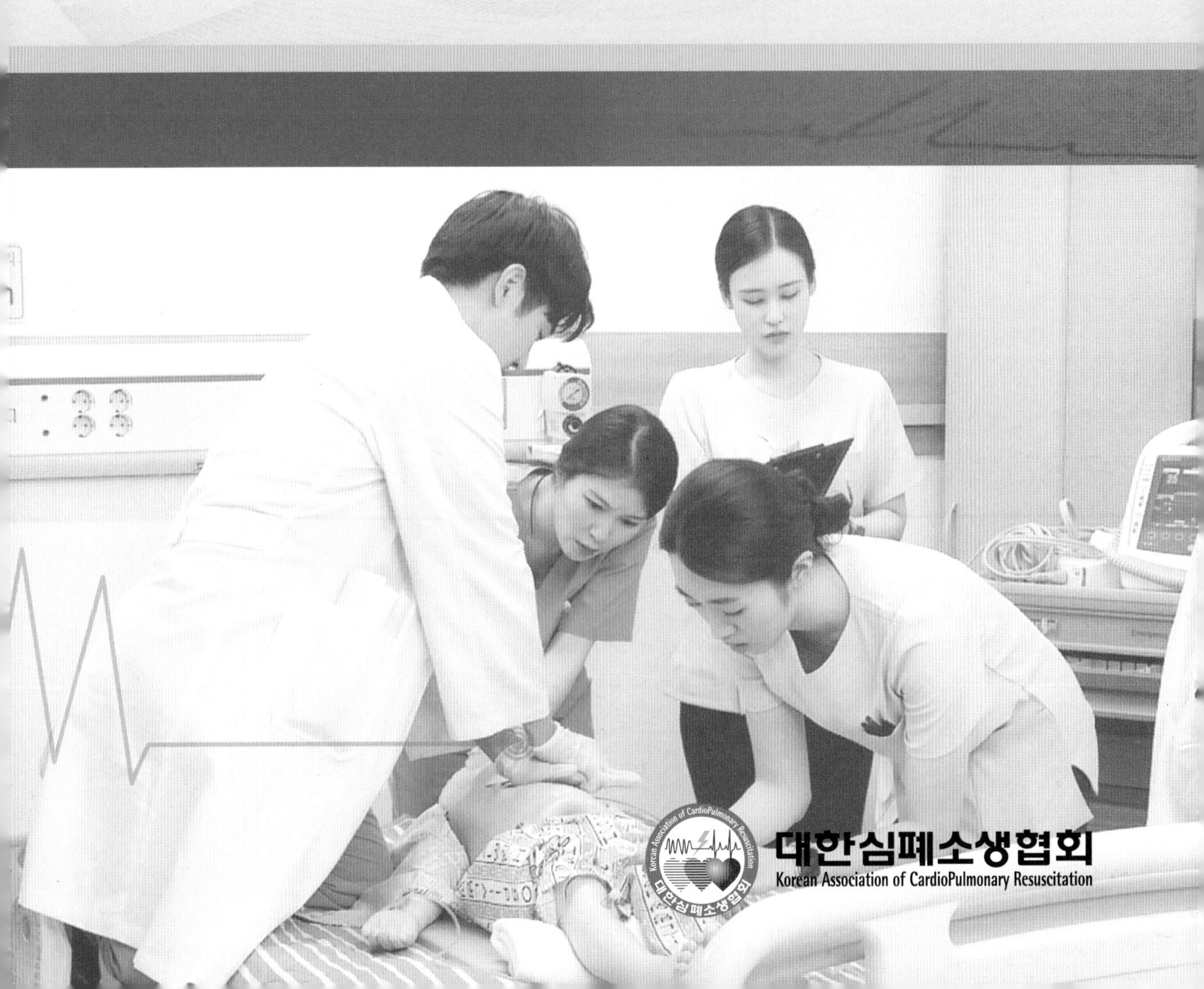

KPALS 한국소아전문소생술

첫째판 1쇄 인쇄 | 2023년 2월 10일
첫째판 1쇄 발행 | 2023년 2월 24일

지 은 이 대한심폐소생협회
발 행 인 장주연
출 판 기 획 최준호
책 임 편 집 이다영
편집디자인 최정미
표지디자인 김재욱
일 러 스 트 신윤지
제 작 담 당 이순호
발 행 처 군자출판사(주)
등록 제4-139호(1991. 6. 24)
본사 (10881) **파주출판단지** 경기도 파주시 회동길 338(서패동 474-1)
전화 (031) 943-1888 팩스 (031) 955-9545
홈페이지 | www.koonja.co.kr

ISBN 979-11-5955-965-5
정가 30,000원

집필진

(가나다순)

김남균
김도균 ◦ 서울대학교 의과대학 응급의학교실
김미진 ◦ 울산대학교병원 응급의학과
김수연 ◦ 두원공과대학교 간호학과
김유선 ◦ 국립중앙의료원 소아청소년과
김정윤 ◦ 고려대학교 의과대학 응급의학교실
김진태 ◦ 서울대학교 의과대학 마취통증의학교실
김현정 ◦ 서울대학교 치의학대학원 치과마취과학교실
류정민 ◦ 울산대학교 의과대학 응급의학교실
문주령 ◦ 삼성서울병원 심장혈관센터
박준동 ◦ 서울대학교 의과대학 소아과학교실
송미경 ◦ 서울대학교 의과대학 소아과학교실
염석란 ◦ 부산대학교 의과대학 응급의학교실
오윤희 ◦ 서울아산병원 시뮬레이션센터
오주석 ◦ 가톨릭대학교 의과대학 응급의학교실
이종승 ◦ 울산대학교 의과대학 응급의학교실
이지숙 ◦ 아주대학교 의과대학 응급의학교실
이진희 ◦ 서울대학교 의과대학 응급의학교실
장원경 ◦ 울산대학교 의과대학 소아청소년과학교실
장혜영 ◦ 순천향대학교 의과대학 응급의학교실
정수인 ◦ 아주대학교 의과대학 소아청소년과학교실
조영석 ◦ 한림대학교 의과대학 응급의학교실
조중범 ◦ 성균관대학교 의과대학 소아청소년과학교실
최유현 ◦ 서울특별시 서울의료원 소아청소년과
최재연 ◦ 가천대학교 의과대학 응급의학교실
한지환 ◦ 가톨릭대학교 의과대학 소아과학교실
허　준 ◦ 성균관대학교 의과대학 소아청소년과학교실

발간사

우리 협회의 한국소아전문소생술 교육과정 개발과 함께 교육 교재의 발간을 진심으로 축하합니다. 소아전문소생술은 심장정지 상태이거나 심장정지의 가능성이 있는 소아 및 영아에게 전문소생술을 제공하여 생명을 구하는 의료분야로서 소아 및 영아를 치료하는 모든 의료인 및 응급의료종사자가 알아야 하는 의료 술기와 지식으로 구성되어 있습니다. 소아전문소생술은 소아 심장정지를 치료하는 필수적인 과정임에도 불구하고 교육 자료 부족으로 인하여 의료 현장으로의 확산에 제한이 있었습니다. 뿐만 아니라 그동안 국내에는 소아전문소생술 교육과정이 개발되어 있지 않아 미국심장협회의 소아전문소생술이 교육되고 있는 실정이었습니다. 우리 협회는 2020년 한국심폐소생술 가이드라인 발표와 함께 우리 고유의 소아전문소생술 과정 개발을 시작했으며, 2년여의 노력 끝에 한국소아전문소생술 교육과정 개발을 완료하고 교육 교재를 발간하기에 이르렀습니다. 이번에 발간되는 소아전문소생술 교재는 소아전문소생술의 기초부터 전문 지식 및 술기에 이르기까지 방대한 내용을 효율적으로 축약한 교육 자료이자 참고서입니다. 이 교재 개발에는 2020년 소아소생술 가이드라인 작업에 참여한 연구자들이 저술에 참여함으로써, 소아전문소생술 교육과정의 최신 지견이 교재에 포함되어 있습니다.

한국소아전문소생술 교육과정 개발과 교재 발간 과정에는 우리 협회 소아소생술 위원장인 서울의대 박준동 교수와 저자들의 헌신과 노고가 있었습니다. 박준동 위원장을 비롯한 저자들은 자원봉사 형식으로 개발 및 저술 과정에 참여했습니다. 진료와 연구에도 바쁜 시간을 쪼개어 저술에 참여해 주신 교수님들께 깊이 감사드립니다.

한국소아전문소생술 교육과정과 교재 개발이 소아전문소생술의 확산으로 이어져 많은 소아 및 영아의 귀중한 생명을 구하는 중요한 계기가 되기를 기대합니다.

2023년 2월

사단법인 대한심폐소생협회 이사장 **황성오**

격려사

미국심장협회에서 주관하는 소아전문소생술(AHA Pediatric Advanced Life Support) 교육과정이 2007년 5월 우리나라에서 처음 개최된 이후, 지난 15년 동안 200회에 가까운 교육과정이 진행되었으며 그동안 40여명의 교육 강사들의 헌신적인 노력으로 약 2,000여명의 교육생이 교육을 받고 의료 현장에서 활동을 해왔습니다. 미국심장협회 교육과정을 진행하면서 여러가지 어려움이 있어 우리나라 자체 과정 개발의 필요성이 제기되어 지난 2017년부터 준비한 한국소아전문소생술(Korean Pediatric Advanced Life Support) 교육과정의 개발이 마무리되어 이제 교육생 대상의 교육 교재를 발간하게 되었습니다.

교육과정 개발 과정 중에 2020년 한국심폐소생술 가이드라인이 개정되어 발표되고 이에 따라 교육과정 개발에도 수정이 필요하여 다소 늦어졌지만 교육과정 개발위원회 위원장으로 큰 역할을 해 주신 성균관대학교 의과대학 허준 교수님을 비롯하여 27분의 위원회 위원님들의 헌신적인 노력 덕분으로 기초과정과 심화과정 두 단계로 나누어 한국소아전문소생술 교육과정이 개발되었습니다.

심장정지 자체에 대한 처치 중심인 성인 심폐소생술에 비해 심장정지에 이르기 전 심폐기능의 점진적 악화를 미리 발견하고 적절한 조치를 취해 심장정지로의 진행을 방지하는데 교육 목표가 있는 소아전문소생술 교육과정에 우리나라 실정을 반영한 교육과정의 개발은 우리나라 소아 심폐소생술 교육의 저변을 넓히는데 매우 큰 도움이 될 것이라 생각합니다.

교육과정 및 교재 개발에 애써 주신 모든 분들께 깊은 감사와 함께 축하의 인사를 드리면서 한국소아전문소생술 교육과정이 정착되어 많은 교육이 이루어지도록 지속적인 관심과 협조를 부탁드립니다.

감사합니다.

2023년 2월

사단법인 대한심폐소생협회 소아소생술위원장 **박준동**

인사말

한국소아전문소생술(KPALS) 개발 과정은 시작이 반이라는 말이 주는 의미를 많이 깨닫게 하는 여정이었습니다. AHA의 영향을 벗어나서 독자적인 한국소아전문소생술 개발은 한국전문소생술(KALS)의 성공적인 개발과 정착 과정을 보면서 소아청소년 분야도 해야 한다는 의무감을 넘어 사명감으로 다가오던 2017년 여름이었습니다. 2017년 5월 31일 첫 모임을 통해 전체적인 큰 틀을 마련하고 TFT를 의욕적으로 구성하였습니다. 시작이 되었으니 당연히 반은 했고 나머지도 예정된 일정으로 1년 내에 될 것이라고 섣불리 자신을 하였습니다. 하지만 TFT의 진행 추진력 저하와 이후 발생한 코로나 바이러스(COVID-19) 감염의 전세계적 발발로 인해 일정이 지연이 되었습니다. 의욕 저하로 모두들 힘들어 하던 와중에 박준동 PLS 위원장님과 장혜영 간사의 열정과 압력이 TFT의 불씨를 다시 살리고 팀원들의 적극적인 참여가 추진력을 더해주었습니다. KPALS 개발에는 거의 모든 PALS INSTRUCTOR가 참여하여 교재 개발팀, 동영상팀, 시뮬레이션팀으로 구성되어 시간과 열정을 쏟아 주셨습니다. 팀원 모두의 노력과 열정이 있어야 나머지 반을 채울 수 있다는 것을 알게 해준 시간들이었습니다.

한국소아전문소생술 교재를 처음 발간을 하게 되어 고마운 분들이 모두 떠오릅니다. 비록 첫 번째가 완벽하지 않지만 더 좋아질 수 있는 굳건한 발판을 마련했다고 봅니다. 개발에 참여하신 분들과 이 교재를 활용하여 교육에 참여하는 모든 분들의 의견과 평가가 한국소아전문소생술(KPALS)의 지속적인 발전에 반드시 필요합니다.

한국소아전문소생술(KPALS)의 교육 보급 활성화를 통하여 소생술 전문가를 늘리고 더불어서 소아소생술의 질적 향상을 이루어 소아청소년을 위한 건강하고 안전한 대한민국을 만드는데 기여할 수 있게 되길 바랍니다.

2023년 2월

한국소아전문소생술(KPALS) 개발 TF팀장 **허 준**

목차

제 1 장

한국소아전문소생술(KPALS) 과정의 개요

한국소아전문소생술(KPALS) 과정은 심장정지 환아를 비롯한 중증 소아 환자를 조기에 인지하고 적절하게 응급처치를 제공하기 위해 필요한 지식을 이해하고 연관 술기를 할 수 있도록 교육/훈련하는 과정으로, 대한심폐소생협회(이하 협회)가 프로그램을 개발하고 인증 및 질 관리를 하는 전문소생술교육이다. 본 교육을 통해, 학습자가 실제 환자를 대할 때 필요한 응급처치를 보다 능숙하게 할 수 있게 되기를 기대한다.

본 과정은 학습자의 사전 학습을 전제로 하여, 표준화된 이론 교육, 모형으로 하는 술기 연습, 환자 마네킹을 이용한 응급 상황 시뮬레이션 등의 복합적 방식으로 구성되며, 협회가 인증한 교육기관에서 협회가 인증한 강사의 지도로 강사 1인당 학습자 5–6명이 팀을 이루어 참여하도록 설계되었다.

또한 본 과정은 중증 응급 소아 환자를 진료하는 전문 의료인뿐 아니라, 일선에서 소아 환자를 만나기에 언제라도 갑작스러운 소아 심장정지 상황 등을 맞닥뜨릴 수 있는 모든 의료인/예비 의료인을 대상으로 고안되었다. 중증 소아 환자에 대해 전문적 처치를 해야 하는 의료인들은 "심화" 과정을, 그리고 중증 환자의 조기 인지, 초기 처치 후 소아 전문 의료인에게 의뢰할 수 있는 다른 의료인들은 "기초" 과정을 이수할 것을 권장한다.

1 한국소아전문소생술(KPALS) 과정 학습 목표

이 교육 과정의 학습 목표는 다음과 같다.

1) 심장정지가 일어날 가능성이 높은 중증 질환/외상 소아에서 환아의 상태가 악화되는 징후를 알고, 조기에 적절한 처치를 함으로써 심장정지 발생을 예방한다.
   - 소아에서 심장정지는 성인과 달리 외상성 심장정지, 호흡성 심장정지가 주된 원인이므로 외상 발생을 예방하는 것, 환자 상태가 악화되었을 때 조기에 상황을 인지하여 심장정지가 발생하지 않도록 예방하는 것이 중요하다. 본 과정은 중증 환아에서 흔히 관찰되는 임상 소견 등을 동영상을 통해 학습하여 이러한 소견이 응급 처치, 전문소생술이 필요한 단계임을 이해하도록 돕는다.

2) 중증 질환/외상 환아의 응급처치에 필요한 술기들을 알고, 각 술기를 올바르게 수행할 수 있다.
   - 중증 환자 처치에 필요한 기도 확보 술기, 골내 주사 경로 확보 술기, 심장충격기 사용 등의 적응증을 알고 올바른 수행 방법을 모형으로 연습한다.

3) 전문소생술 수행을 위해 팀 단위 접근이 필요함을 이해하고, 다양한 팀원 역할을 연습한다.
   - 중증 응급 환자의 처치가 시의 적절하게 이루어지기 위해서는 여러 명의 의료인들이 다양한 역할을 동시에 수행해야 하는 경우가 많다. 예를 들어 병원 내 심장정지 환자 발생 상황에서는 기도 관리, 가슴압박, 환자 모니터 부착 및 심장충격기 사용, 혈관경로 확보 및 투약, 상황을 기록하고 시간 경과 상황을 공지해주는 등 다양한 역할이 필요하고, 이런 역할을 포괄적으로 관리/감독할 팀 리더가 필요하다.
   - 본 과정은 전문소생술이 필요한 여러 환자 증례를 동영상과 모형을 이용해 학습하면서 다양한 역할을 경험하도록 훈련한다.

4) 팀 단위 전문소생술 중에 팀원들과 효율적으로 의사 소통하고 적절하게 상호작용하는 방법을 익힌다.
   - 전문소생술은 급박하고 소란스럽기도 한 상황에서 여러 명의 팀원들이 각자 맡은 역할을 해내면서도 효율적으로 의사소통을 해야 하는 상황이다. 긴장도가 높은 상황에서 서두르다가는 소아에서 특히 주의가 필요한 약물 용량/심장충격 에너지 등 환자에 대한 처치가 부적절하게 되거나, 자칫 팀원들이 서로 비난하는 방식으로 대화가 이어질 우려도 있다. 본 과정은 모든 소생술 참여자가 각자의 역할에 충실하면서도 리더를 중심으로 효율적으로 의사소통 할 수 있도록, 궁극적으로 환자와 팀원들이 모두 안전하게 소생술을 진행할

수 있도록 훈련한다.

5) ("심화" 과정만 해당) 중증 질환/외상 소아에서 환자의 상태를 단계적으로 평가하여 해당 단계별 적절한 처치를 제공할 수 있도록 구조화된 "체계적 환자 접근법"을 익히고 훈련한다.
   - 응급처치가 필요한 중증 환아에서 필요한 처치를 적절히 제공하려면 환자의 상태를 정확히 평가하는 것이 중요하다. 호흡 곤란, 의식 저하 등 중증 응급 상황인 환아를 만나더라도 초심자들이 당황하지 않고 환자를 체계적으로 평가하여 상태 악화의 원인을 파악하고, 필요한 응급처치를 적절히 제공할 수 있도록 설계된 구조적 환자 접근법을 익힌다.

2 한국소아전문소생술(KPALS) 과정의 내용

이상의 학습목표를 이루기 위해 본 과정은 다음과 같은 내용으로 구성되어 있다.

학습 내용	설명
1. 심장정지 소아에서 자동심장충격기를 사용한 기본소생술 연습	• 소아/영아 모형을 이용하여 기본소생술을 연습한다. 구조자가 1인일 때와 2인일 때 달라지는 소생술 방법을 익히고 자동심장충격기의 사용 또한 연습한다. • 기본소생술은 교육 후 실기 시험을 치러야 하며, 실기 시험을 통과해야 본 교육의 수료가 인정된다.
2. 소생술에 필요한 술기 훈련 - 기도 관리, 심장충격, 골내 주사 경로 확보 등	• 호흡 곤란을 호소하거나 의식이 저하된 환자에서 필요한 기도관리 술기를 익힌다. 산소 공급 방법, 각종 기도기(airway) 사용 방법, 기관내삽관법, 성문외 기도기 사용법 등을 이론 교육과 술기 연습으로 습득한다. • 심장정지 환자의 심전도 모니터에 나타나는 리듬의 종류를 이해하고, 심장충격기의 안전한 사용법을 익힌다. • 정맥 주사 경로 확보가 어려운 소아에서 혈관 경로를 대신할 수 있는 골내 주사의 방법과 적응증을 알고, 골내 주사를 실습한다.
3. 팀 역할과 팀 역동 연습	• 전문소생술에 필요한 여러 가지 역할을 습득하고, 다른 팀원들과 함께 중증 환자의 응급처치를 연습하며 다양한 역할을 훈련한다. • 팀원들과 안전하고 효율적으로 의사소통하기 위해 필요한 요소들을 알고 시뮬레이션을 통해 해당 요소들을 실천해본다. • 심장정지 소아에서 팀 리더로서 팀원들과 함께 전문소생술을 하는 연습을 한다.
4. ("심화" 과정만 해당) 중증 환아의 체계적 평가 훈련	• "초기 평가, 일차 평가, 이차 평가" 등 구조화된 환자 상태 평가 방법을 익히고 환자 증례를 이용하여 강사와 함께 토론한다. 각 단계의 환자 평가 후 해당 상황에 필요한 응급 처치를 생각해보고, 단계별 처치 과정을 통해 변화하는 환자의 상태를 반복적으로 재평가하는 체계를 다양한 환자 증례로 훈련한다. • 환자 상태를 평가함에 있어 교육의 현실감을 높이기 위해 환자의 모습이 담긴 동영상이나 환자의 생징후를 보여주는 환자 감시장치 화면 등을 이용한다.

5. ("심화" 과정만 해당) 중증 환아 사례 시뮬레이션	• 호흡 곤란, 쇼크, 외상 등 다양한 중증 환아의 사례에 대해 환자 마네킹을 이용하여 팀원들과 함께 응급처치를 하는 연습을 한다. 3가지 범주에서 총 12번에 걸쳐 중증 환자 사례를 연습한다. (본 과정은 환자의 상황 및 병력, 신체 진찰 소견, 검사 결과 등을 강사가 설명하고, 매 증례마다 시시각각 변하는 환자의 생징후를 환자감시장치 화면을 통해 직접 확인하게 함으로써 증례의 몰입감을 높이도록 설계되었다.) • 매 증례 시뮬레이션 이후 강사와 함께 해당 증례와 팀 역동을 돌이켜보는 디브리핑 과정을 통해 증례별 요점을 재확인하고, 팀 수행 능력 향상을 꾀한다.

3 한국소아전문소생술(KPALS) 과정의 일정표

이상의 내용을 담아내기 위한 본 교육과정의 일정표를 다음의 예와 같이 제시한다. "기초" 과정은 약 6시간의 교육으로 중증 환자의 체계적 평가, 중증 환자 시뮬레이션에 대한 내용이 생략되며, "심화" 과정은 약 10시간의 교육으로 중증 질환/외상의 소아 환자에 대한 전문적, 체계적 처치를 연습하게 한다(그림 1-1, 1-2).

4 한국소아전문소생술(KPALS) 과정의 수료 요건

학습자는 본 과정의 모든 일정에 적극적으로 참여하여 기본소생술, 기도 관리, 제세동 등 모든 영역에서 능숙한 술기를 시연해야 하며, 임상 증례 시뮬레이션에서도 팀원 또는 팀 리더로서의 역할을 성공적으로 보여주어야 한다. 기초/심화 과정의 이수 조건은 각각 다음과 같다.

1) 기초 과정

- 소아/영아 기본소생술 실기 시험 통과
- 심장정지 환자 전문소생술에서 팀 리더 역할을 성공적으로 완수

2) 심화 과정

- 기초 과정 이수 조건 완수
- 임상 증례 시뮬레이션에서 팀원 및 팀 리더 역할 성공적으로 완수
- 필기 시험에서 정답률 84% 이상일 것

본 과정을 이수하면 협회에서 인증하는 수료증이 발급되며, 인증 기간은 교육 완료일로부터 만 2년으로 한정한다. 2년이 경과하여 재인증이 필요한 경우, 교육 전과정을 다시 이수해야 한다.

한국소아전문소생술 (KPALS) "기초" 과정

학습자 : 강사 비율 6:1 권장
휴식 시간 포함 약 5~6시간

일시 :
장소 :

시간	분	내용	
7:30 - 8:00	30	등록, 사전시험 결과 제출	
8:00 - 8:10	10	인사 및 과정 소개, 교육장 안내	
8:10 - 8:30	20	1강 : 중증 소아 인지	
8:30 - 9:10	40	2강 : 기본소생술	
9:10 - 9:50	40	3강 : 실기 평가 - 기본소생술	
9:50 - 10:00	10	휴식	
10:00 - 10:20	20	4강 : 전문소생술	
조별 활동		5강 : 전문소생술 술기	
		5-1강 : 기도 관리	5-2강 : 리듬, 제세동
10:20 - 10:40	20	1조	2조
10:40 - 11:00	20	2조	1조
조별 활동		6강 : 전문소생술 팀 역할, 팀 역동	
11:00 - 11:25	25	1조	2조
조별 활동		7강 : 심장정지 증례 시뮬레이션 연습 토의	
11:25 - 11:55	30	1조	2조
조별 활동		8강 : 심장정지 증례 시뮬레이션	
11:55 - 12:35	40	1조	2조
12:35 - 12:45	10	휴식	
조별 활동		9강 : 실기 평가 - 심장정지 증례 팀 리더 역할	
12:45 - 13:45	60	1조	2조
13:45 - 13:50	5	과정 마무리, 인사	

대한심폐소생협회

그림 1-1. 한국소아전문소생술 “기초” 과정 예시

한국소아전문소생술 (KPALS) "심화" 과정

학습자 : 강사 비율 3:1 권장
휴식 시간 포함 약 10시간

일시 :
장소 :

시간	분	내용		
7:30 – 8:00	30	등록, 사전시험 결과 제출		
8:00 – 8:10	10	인사 및 과정 소개, 교육장 안내		
8:10 – 9:00	50	1강 : 기본소생술		
9:00 – 9:40	40	2강 : 실기 평가 - 기본소생술		
9:40 – 9:50	10	휴식		
9:50 – 10:10	20	3강 : 중증 환아의 체계적 평가		
10:10 – 10:30	20	4강 : 중증 환아의 체계적 평가 연습 토의		
10:30 - 10:55	25	5강 : 전문소생술		
10:55 – 11:00	5	이동		
조별 활동		6강 : 전문소생술 술기		
		6-1강 : 기도관리	6-2강 : 리듬/제세동	6-3강 : 골강내주사
11:00 – 11:20	20	A조	C조	B조
11:20 – 11:40	20	B조	A조	C조
11:20 – 11:40	20	C조	B조	A조
11:40 – 11:45	5	이동		
11:45 – 12:10	25	7강 : 전문소생술 팀 역할, 팀 역동		
12:10 – 13:00	50	점심식사		
조별 활동		8강 : 시뮬레이션 연습 토의		
13:00 – 13:35	35	1조	2조	
조별 활동		9강 : 심장정지/부정맥 증례 시뮬레이션		
13:35 – 14:25	50	1조	2조	
14:25 – 14:35	10	휴식		
조별 활동		10강 : 호흡부전 증례 시뮬레이션		
14:35 – 15:25	50	1조	2조	
조별 활동		11강 : 쇼크 증례 시뮬레이션		
15:25 – 16:15	50	1조	2조	
16:15 – 16:30	15	휴식		
조별 활동		12강 : 실기 평가 - 심장정지 및 중환자 증례 팀 수행		
16:30 – 17:10	40	1조	2조	
17:10 – 17:15	5	이동		
17:15 – 17:45	30	13강 : 지필 평가		
17:45 – 17:50	5	과정 마무리, 인사		

그림 1-2. 한국소아전문소생술 "심화" 과정 예시

제 2 장

소아 소생술

1 소아 기본소생술

영아나 소아에서의 심장정지는 성인과 달리 심장질환이나 부정맥에 의한 경우는 흔하지 않으며, 호흡 부전이나 쇼크, 패혈증 등의 점진적 악화로 인한 질식성 심장정지가 더 흔하다. 심장정지 발생의 원인은 연령에 따라서도 차이가 있는데, 영아에서는 호흡 부전, 영아돌연사증후군, 이물에 의한 기도 폐쇄, 패혈증 등이 주된 이유지만, 1세 이상 소아에서는 외상이 심장정지 발생의 가장 흔한 원인이 된다. 따라서 외상이 발생하지 않도록 환경을 유지하고 안전장비를 사용하는 것과 호흡 부전이나 쇼크 상태인 소아 환자를 빠르게 인지하고 적절히 처치하여 심장정지에 이르지 않도록 하는 것이 매우 중요하다. 심장정지 시 심폐소생술을 할 때에도 성인에서보다 인공호흡이 좀 더 중요하게 다루어지고 있다. 이 교육에서는 병원 내에서 의료인에 의해 제공되는 심폐소생술에 대해서만 다루고자 한다.

1) 기본소생술 시 연령 구분

영아, 소아와 성인은 심장정지의 원인에 차이가 있으며, 체구가 다르므로 심폐소생술 방법에도 차이가 있다. 2020년 한국심폐소생술 지침의 소아 기본소생술에서 신생아~성인까지를 다음과 같이 구분하고 있다.

신생아: 출신한 때로부디 4주(28일 미민)

영아: 28일 이상부터 만 1세 미만

소아: 만 1세부터 만 8세 미만까지

성인: 만 8세 이상

영아에게는 영아 기본소생술을, 소아에게는 소아 기본소생술 방법을 제공하며, 1인 구조자와 2인 이상의 구조자가 있을 때 인공호흡과 가슴압박 비율이 달라진다.

2) 기본소생술 순서

기본소생술의 순서는 그림 2-1과 같다. 의료제공자들은 대부분 팀으로 활동하기 때문에 각 심폐소생술의 과정이 동시에 이루어지는 경우가 많으므로 활동의 우선순위가 상대적으로 덜 강조된다.

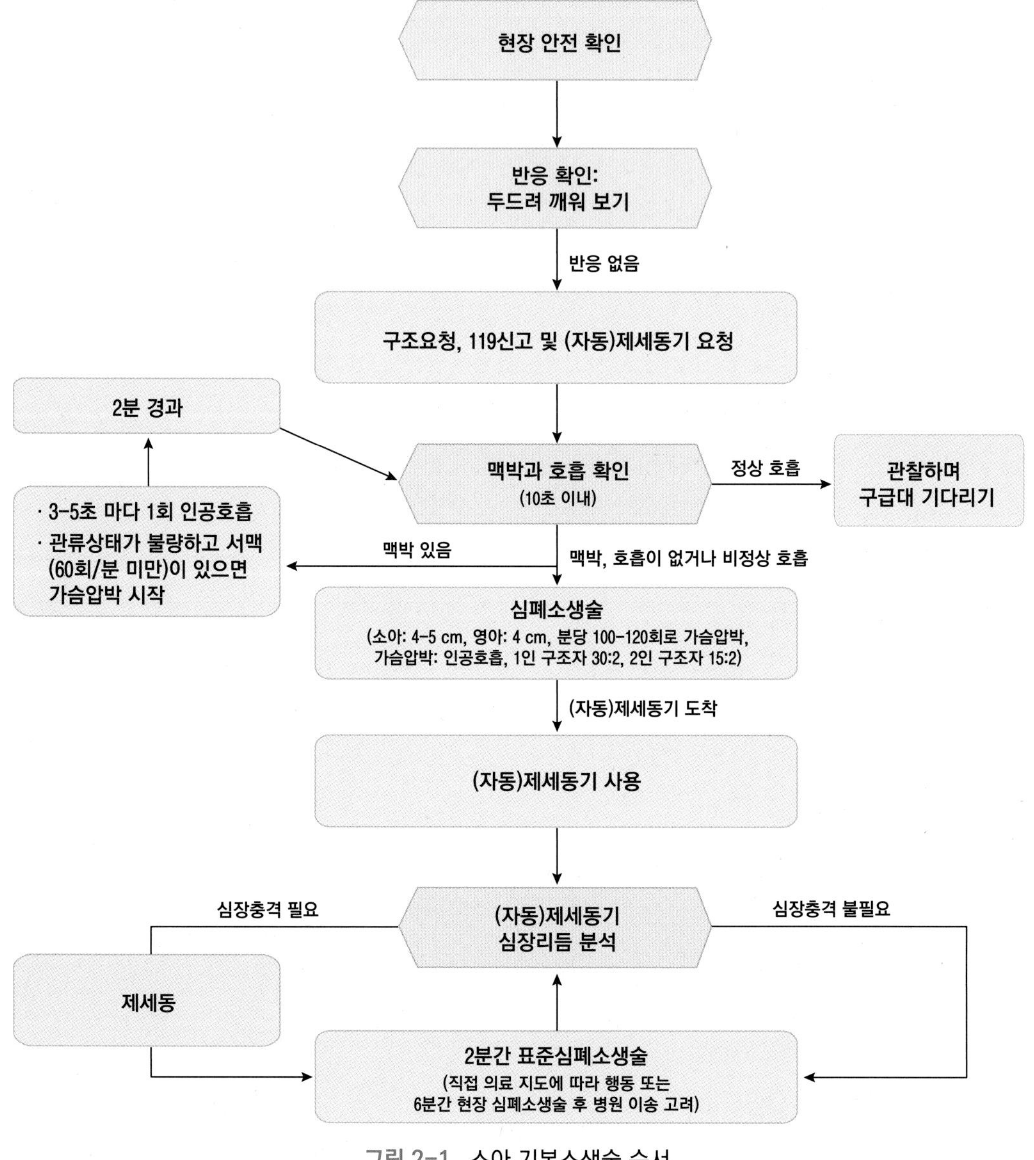

그림 2-1. 소아 기본소생술 순서

(1) 구조자와 환자의 안전

심폐소생술을 하기 전에 항상 구조자와 환자가 있는 지역의 안전을 확인해야 한다. 2020년 한국심폐소생술 지침에서는 코로나 19 등의 호흡기 감염 유행상황에서 의료제공자는 소생술 중, 에어로졸이 생성되는 시술 동안 마스크, 장갑, 고글과 가운 등의 개인 보호 장비를 사용하도록 하고, 심폐소생술을 마친 후 구조자는 감염관리수칙에 따라 가능한 한 빨리 비누와 물로 손을 깨끗이 씻거나 알코올 기반의 손 소독제로 손을 소독하여야 하며 옷을 갈아입도록 권고하고 있다. 이후 지역 보건당국에 코로나 19 검사와 자가격리 여부 등을 확인하도록 권고한다.

(2) 반응의 확인

아이를 부드럽게 두드리면서 큰소리로 이름을 부르거나 "얘야, 괜찮니?" 와 같이 물어본다. 소아에게는 양 어깨를, 영아에게는 발바닥을 두드리며 반응을 확인한다. 아이에게 어떤 손상이나 의학적 도움이 필요한지를 빨리 확인한다.

(3) 응급의료체계 활성화

만약 아이가 반응이 없고 숨을 쉬지 않거나 간헐적으로 헐떡거리는 양상의 비정상적인 호흡을 하고 있다면 주변에 있는 사람에게 요청하여 심폐소생술 방송을 하고 자동제세동기 및 응급카트를 가져오도록 한다.

(4) 환자의 맥박 확인

영아나 소아가 반응이 없고 숨을 쉬지 않거나 간헐적으로 헐떡이는 비정상적인 호흡을 하는 경우 의료제공자는 10초가 넘지 않도록 맥박을 확인한다. 맥박은 영아는 위팔동맥, 소아는 목동맥이나 대퇴동맥에서 확인한다. 10초 이내에 맥박을 느끼지 못하거나 맥박이 있는지 여부가 불확실하다면 가슴압박을 시삭한다.

① 맥박이 잘 만져지나 호흡이 불충분한 경우

맥박이 만져지면서 분당 60회 이상이지만 호흡이 불충분한 경우 적절한 자발 호흡이 회복될 때까지 분당 12–20회의 속도로 구조 호흡을 제공한다(3–5초에 1회). 2분마다 맥박을 재확인한다.

② 맥박은 만져지나 분당 60회 미만인 경우

맥박은 만져지나 분당 60회 미만이면서 산소와 환기를 제공하여도 관류 상태가 좋지 못하다면(피부가 창백하거나 얼룩덜룩하거나 청색증을 보일 때) 가슴압박을 시작한다. 어린 소아의 심박출량은 심박수에 의해 상당 부분 결정되므로 관류가 저하된 징후가 보이는 서맥은 심장 정지에 준해 처치한다. 심장정지가 발생하기 이전에 적극적으로 심폐소생술을 시행해야 생존율을 향상시킬 수 있다. 가슴압박을 시작해야 하는 심박수의 절대적인 기준은 아직 뚜렷한 근거는 없으나 교육의 편의성을 위해 심박수 60회 미만이면서 관류 상태가 좋지 않은 경우를 기준으로 하도록 2020년 한국심폐소생술 지침에서 권고하고 있다.

③ 맥박이 만져지지 않고 호흡이 없거나 비정상적인 호흡을 하는 경우
가슴 압박을 시작한다.

(5) 가슴압박

가슴압박은 분당 100–120회의 속도로 압박하고, 적어도 흉곽 전후 길이(가슴 두께)의 1/3 깊이 또는 영아는 4 cm, 소아는 5 cm 깊이로 압박한다. 가슴 압박은 평평하고 딱딱한 바닥에 눕혀서 실시하는 것이 가장 좋다.

(A) 두 손가락 가슴압박법

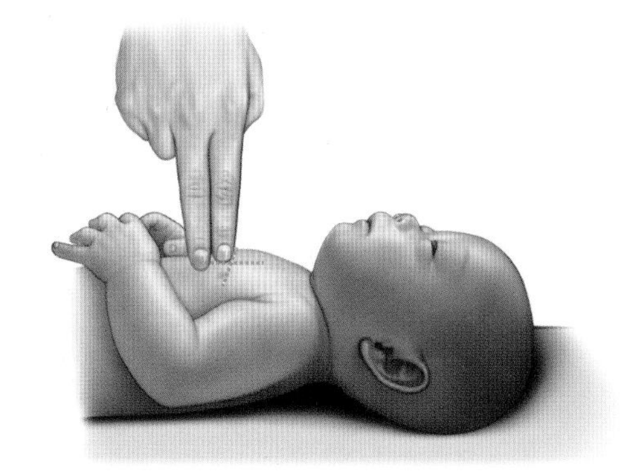

(B) 양손 감싼 두 엄지 가슴압박법

그림 2–2. 영아의 가슴압박법

의료제공자가 혼자 있을 때는 영아에게 두 손가락 가슴압박법(그림 2–2A)을 사용한다. 구조자가 2인 이상일 때에는 양손 감싼 두 엄지 가슴압박법(그림 2–2B)을 시행한다. 두 방법 모두 양 젖꼭지를 연결한 선 바로 아래의 흉골을 압박하고 이 때 칼돌기와 갈비뼈를 압박하지 않도록 주의한다. 양손 감싼 두 엄지 가슴압박법은 두 손가락 가슴압박법보다 관상동맥 관류압을 증가시키고, 적절한 압박 깊이와 힘을 일관되게 유지할 수 있으며 수축기압과 이완기압을 더 높게 생성할 수 있다. 흉곽을 양손으로 감쌀 수 없는 상황이라면 그냥 두 손가락 압박법을 사용한다.

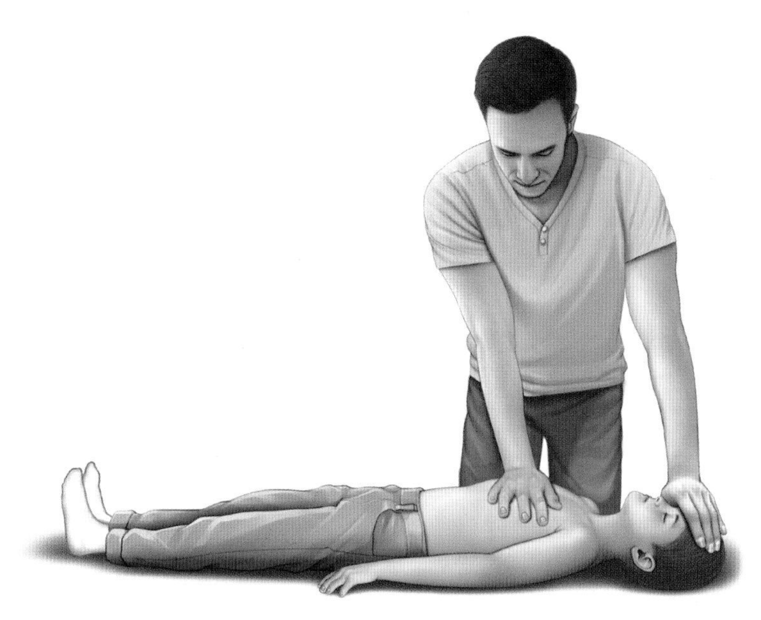

그림 2-3. 소아의 가슴압박법

소아의 가슴압박 위치는 흉골의 아래쪽 절반이며, 한 손 또는 두 손을 사용하여 압박한다(그림 2-3). 소아의 경우에도 칼돌기와 갈비뼈를 누르지 않도록 주의한다.

가슴압박을 한 후에는 가슴이 정상 위치로 다시 완전히 이완되도록 한다. 흉부가 완전히 이완되어야 심장으로 돌아오는 정맥 환류가 충분히 이루어진다. 불완전한 흉부 이완은 흉강 내부의 압력을 증가시키고 정맥 환류, 관상동맥 관류, 심박출량, 뇌동맥으로 가는 관류를 감소시킨다. 가슴압박을 시행하는 구조자가 지치는 경우 가슴압박의 속도, 깊이, 흉부 이완 모두 부적절해질 수 있으므로, 구조자가 지치지 않도록 2분마다 교대하도록 하여 가슴압박의 질과 속도가 떨어지는 것을 방지해야 한다. 가슴압박 역할 교대는 가능한 5초 이내로 빠르게 수행하여 가슴압박의 중단을 최소화해야 한다.

KEY

- **양질의 심폐소생술**

  가슴압박속도: 분당 100-120회
  가슴압박깊이: 가슴 앞뒤 길이의 1/3이 눌리도록
  가슴이완: 압박 후에는 가슴이 완전히 이완되도록
  가슴압박의 중단을 최소화
  과도한 환기 금지

(6) 기도 열기와 인공호흡

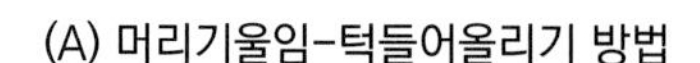

(B) 턱 밀어올리기

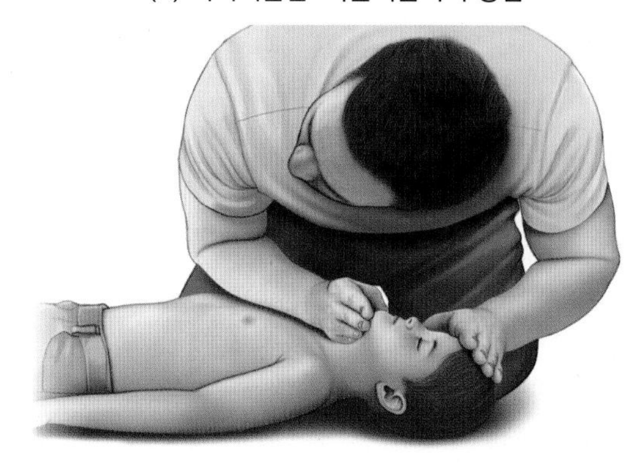

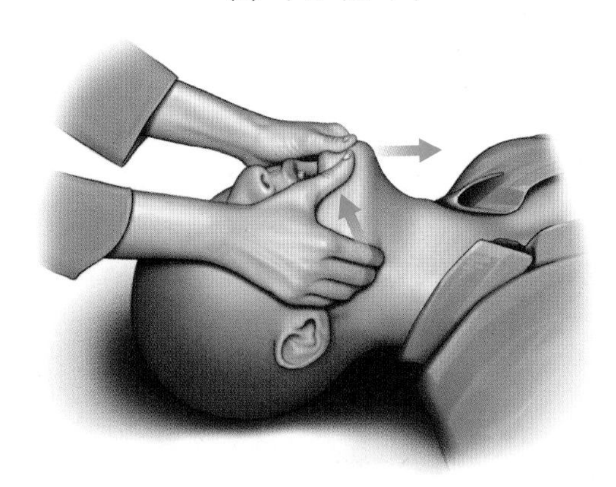

그림 2-4. 기도 열기

30회의 가슴압박 후 머리기울임-턱들어올리기 방법(그림 2-4A)으로 기도를 열고 인공호흡을 2회 실시한다. 척추 손상을 의심해야하는 외상의 징후가 있다면 머리 젖히기는 하지 않고 턱 밀어올리기 방법(그림 2-4B)으로 기도를 개방한다. 소아는 적절한 인공호흡이 매우 중요하기 때문에 턱 밀어올리기 방법으로 기도를 효과적으로 열지 못한다면 외상 여부와 상관없이 머리기울임-턱들어올리기 방법을 사용한다.

영아에게 인공호흡은 구조자의 입으로 영아의 입과 코를 모두 덮은 상태에서 시행한다. 입과 코를 한꺼번에 막기 어려운 경우에는 입-입 또는 입-코 인공호흡을 할 수 있다. 입-입 인공호흡을 하는 경우는 환자의 코를 잡아 막고 입을 통해 인공호흡하고 입-코 인공호흡을 하는 경우는 입을 막는다.

소아에게는 성인과 마찬가지로 코를 막은 상태에서 입-입 인공호흡을 시행한다.

인공호흡을 할 때에는 숨을 불어넣을 때 환아의 가슴이 올라오는 것을 확인해야 하며 각 호흡은 1초에 걸쳐 실시한다. 가슴이 올라오지 않는다면, 기도를 다시 열고 호흡이 밖으로 새지 않게 좀 더 확실하게 밀착한 후 인공호흡을 시도해 본다.

인공호흡 후 가슴압박으로 돌아가기까지의 시간을 최소화하여 가슴압박을 중단하는 시간을 최소화하려고 노력해야 한다.

(7) 가슴압박과 인공호흡의 비율

가슴압박:인공호흡 비율은 1인 구조자인 경우에는 30:2, 2인 이상의 구조자가 있는 경우에는 15:2로 한다. 2분 정도의 심폐소생술 후 가슴압박과 인공호흡의 역할을 교대하도록 한다.

질식성 심장정지가 흔한 영아와 소아 소생술의 경우 가슴압박과 인공호흡을 함께 제공해야 좋은 결과를 얻을 수 있다. 만약 구조자가 인공호흡에 대한 교육을 받지 않았거나 인공호흡을 할 의지가 없는 경우, 또는 인공호흡을 할 수 없는 상황이라면 전문소생술 팀이 필요한 장비를 가지고 올 때까지 가슴압박 소생술만이라도 계속해야 한다(2020년 한국심폐소생술 지침. 권고 등급 I, 근거수준 B-NR).

전문기도기가 삽입된 후에는 가슴압박을 중단할 필요없이 분당 10회 정도로 인공호흡을 시행하도록 2020년 한국심폐소생술 지침에서 권고하고 있다.

(8) 제세동

심실세동이나 무맥성 심실빈맥은 영아나 소아 심장정지의 주된 원인은 아니지만 소생술 도중에 발생할 수 있으며, 드물게는 갑작스러운 소아 심장정지의 원인이 되기도 한다. 목격자가 있는 갑작스러운 소아의 심장정지는 심실세동이나 무맥성 심실빈맥에 의한 것일 수 있으며 즉각적인 심폐소생술과 함께 빠른 제세동이 필요한 "충격필요리듬"으로 분류된다. 영아인 경우 충격필요리듬을 구분할 수 있을 정도로 의료제공자가 잘 훈련되어 있다면 수동제세동기를 사용하는 것이 바람직하지만, 수동제세동기가 없거나, 수동제세동기를 사용할 줄 모른다면, 소아용 충격량 감쇠기가 있는 자동제세동기를 사용할 수 있다. 8세 미만의 소아에게는 소아용 충격량 감쇠기가 있는 자동제세동기를 사용하는 것이 원칙이다. 수동제세동기나 충격량 감쇠기가 있는 자동제세동기가 없는 상황이라면 성인용 제세동기라도 영아나 소아에게 사용할 수 있다. 영아나 소아에게 성인용 패드를 사용하는 경우 패드가 너무 커서 겹쳐질 수 있으므로 겹쳐지지 않도록 거리를 두고 붙이거나 앞뒤로 붙여서 사용한다. 자동제세동기의 음성 지시에 따라 제세동을 시행한다.

가슴압박과 제세동 사이의 시간을 최소화해야 하므로 제세동 직전까지 가슴압박을 하다가 제세동 직전에 환자에게서 모두 떨어지도록 지시한 후 제세동을 시행하고, 제세동 후 즉시 가슴압박으로 시작하는 심폐소생술을 재개해야 한다. 자동제세동기는 2분마다 리듬을 재분석하므로 제세동기를 끄지 말고 심폐소생술을 지속하도록 한다.

표 2-1에 소아 기본소생술에 대해 요약해 놓았으니 참고하도록 한다.

표 2-1. 소아 기본소생술 요약

용어 및 처치	내용
소생술이 필요한 호흡	호흡이 없거나 헐떡이는 호흡을 보이는 경우
호흡과 맥박 확인	10초 이내에 호흡과 맥박을 동시에 확인
가슴압박	영아, 1인 구조자) 두 손가락 가슴압박법 영아, 2인 구조자) 양손 감싼 두 엄지 가슴압박법 소아) 한 손 또는 두 손 손뒤꿈치 가슴압박법
	압박 위치 영아) 젖꼭지 연결선 바로 아래의 흉골 소아) 흉골 아래쪽 1/2 압박 깊이) 가슴 전후 두께의 최소 1/3 이상 (영아: 4 cm, 소아: 4-5 cm) 압박 속도) 분당 100-120회
가슴압박과 인공호흡 비율	1인 구조자) 가슴압박:인공호흡=30:2 2인 이상의 구조자) 가슴압박:인공호흡=15:2
전문기도유지술 후 인공호흡	가슴압박과 무관하게 분당 10회 (매 6초에 1회) 시행
제세동 후 심폐소생술	제세동 후 즉시 가슴압박을 다시 시작
자발순환 회복 후 인공호흡	맥박이 60회 이상이고 관류 상태가 양호한 경우 분당 12-20회 (매 3-5초에 1회)

3) 영/소아 기본소생술을 위한 술기

(1) 인공호흡 관련 장비 및 방법들

① 보호 기구

구조자 중에는 입-입 인공호흡에 의한 직접 접촉을 꺼려서 보호 기구를 사용하려는 사람도 있을 수 있으나 보호 기구의 사용은 100% 감염의 전파를 막을 수 있는 것은 아니고, 공기 흐름에 저항을 가져올 수 있으므로 보호 기구를 사용하기 위하여 인공호흡을 지연해서는 안 된다.

② 백마스크 호흡법

대부분의 심장정지 환자는 백마스크 호흡으로 충분한 환기가 가능하나 전문기도기(기관내관 혹은 성문상 기도기)를 삽입하면 가슴압박을 중단하는 횟수가 감소하고 기도 흡인이 되는 것을 감소시킬 수 있다는 장점이 있다. 그러나 전문기도기를 삽입하는 것은 백마스크 호흡법보다 숙련되기까지 더 많은 시간이 필요하며 병원밖 소아 심장정지 환자의 경우 삽관 실패율이나 합병증 빈도가 백마스크 호흡법보다 더 높다. 이런 점을 고려하여 병원밖 소아 심장정지 환자의 인공호흡을 위해 전문기도기를 삽입하기보다는 백마스크 환기법을 적용하는 것이

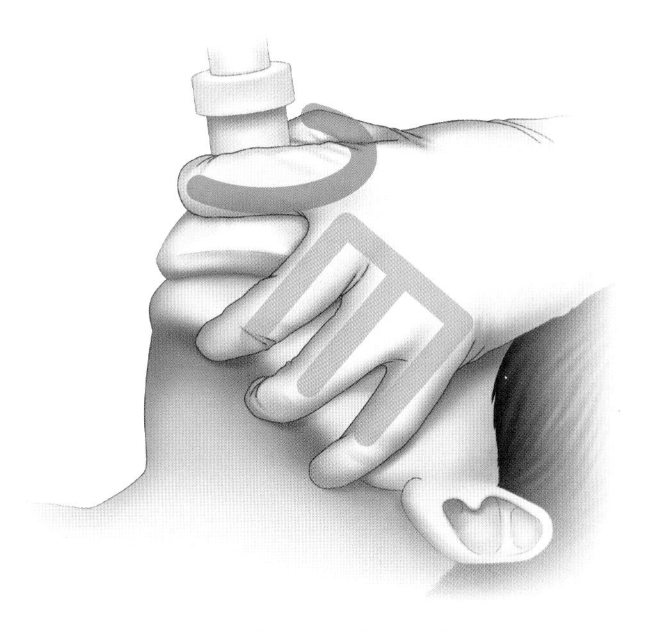

그림 2-5. 백-마스크 환기를 위한 EC 고정법
엄지와 검지 손가락으로 "C" 모양을 만들어 얼굴에 마스크를 밀착하고, 나머지 세 손가락으로 "E" 모양을 만들어 턱을 잡고 들어준다.

합리적이다. 백마스크 호흡은 엄지와 검지로 알파벳 C 모양을 만들어 마스크를 얼굴에 밀착시키고, 나머지 손가락으로 E 모양을 만들어 턱뼈를 잡고 들어주어 기도를 유지한 자세로 시행한다(그림 2-5). 환기백을 매 1초씩 짜 준다. 너무 빠르게 짜거나 강한 압력을 주면 공기가 식도를 통해 위로 들어가게 되어 위팽창이 생겨 이후의 환기를 방해할 수 있으므로 주의한다. 환기백을 짜도 가슴이 올라오지 않으면 마스크를 다시 밀착시키고 기도 유지를 다시 시행한 후 다시 짜 준다.

병원내 심장정지인 경우에는 구소사들의 숙련노와 환기의 석설성에 따라 백마스크 환기법을 유지할지, 전문기도기 삽입을 할지 결정하도록 한다.

③ 환기백

자가 팽창 백은 적어도 450-500 mL를 공급하는데, 더 적은 용량의 백은 만삭아와 영아에게 충분한 일 회 호흡량을 공급하지 못할 수도 있다. 큰 소아나 청소년에게는 성인용 자가 팽창 백(1,000 mL)을 사용한다. 공급할 산소가 없는 경우에는 실내 공기만으로 환기하고, 산소 공급이 가능하면 산소를 사용하는데, 산소량을 10 L/min으로 공급하면 산소 농도는 30-80%까지 유지된다. 더 높은 농도(60-95%)의 산소를 공급하려면 산소 저장소를 백에 연결한다. 소아용 백에 부착된 저장소에는 산소를 10–15 L/min을 공급하고, 성인용 백에 연결된 저장소로는 적어도 15 L/min을 공급할 수 있다.

④ 과호흡을 예방하기 위한 인공호흡 방법

심폐소생술 동안 폐 환기가 과도하게 되면 정맥 환류가 감소하여 심박출량과 뇌 혈류를 감소시키고 흉강 내압의 증가로 관상동맥 관류가 감소한다. 따라서 과호흡을 하지 않는 것이 중요하다. 전문기도기가 삽입된 후에는 가슴압박을 중단할 필요없이 분당 10회 정도로 인공호흡을 시행하되, 가슴 압박과 동시에 환기가 되지 않도록 주의한다. 각각의 인공호흡은 가슴이 올라오는 것이 관찰될 정도로만 시행한다. 자발순환이 돌아왔으나 자발호흡이 없는 경우에는 인공호흡만 분당 12–20회(3–5초마다 1회)로 시행한다.

⑤ 2인 백마스크 호흡

2인의 구조자가 함께 백마스크 호흡을 시행하면 심한 기도폐쇄가 있거나, 폐 탄력성이 나쁠 경우, 마스크를 얼굴에 밀착시키기 힘든 경우에 효과적인 백마스크 호흡을 제공하는데 도움이 된다. 한 명은 양손으로 마스크를 환자의 얼굴에 단단히 밀착시키면서 기도를 유지하고, 다른 구조자는 환기백을 누른다.

⑥ 위 팽창과 윤상연골 누르기

위 팽창은 효율적인 환기를 저해하고 구토를 유발할 수 있으므로 피해야 한다. 위 팽창을 최소화하려면, 매 호흡을 1초에 걸쳐 실시함으로써 과도한 압력이 가해지는 것을 피해야 한다. 그 외에 윤상연골 누르기를 고려해 볼 수도 있으나, 윤상연골 누르기를 통상적으로 실시하는 것은 권장되지 않는다. 윤상연골 누르기는 환자가 의식이 없고, 도와줄 다른 의료제공자가 있는 경우에만 고려하도록 하며, 윤상연골을 과도하게 누르는 경우 기관을 막을 수 있으므로 주의한다.

(2) 자동제세동기

자동제세동기는 기계 내부에 내장된 음성으로 안내를 해 주기 때문에 의료적인 지식이 부족하거나, 심장정지 리듬을 분석하지 못하는 의료제공자도 사용 가능하다. 대체로 자동제세동기는 ① 전원 켜기, ② 패드 붙이기, ③ 리듬 분석, ④ 제세동 필요시 충전, ⑤ 제세동의 순서로 진행된다(그림 2–6).

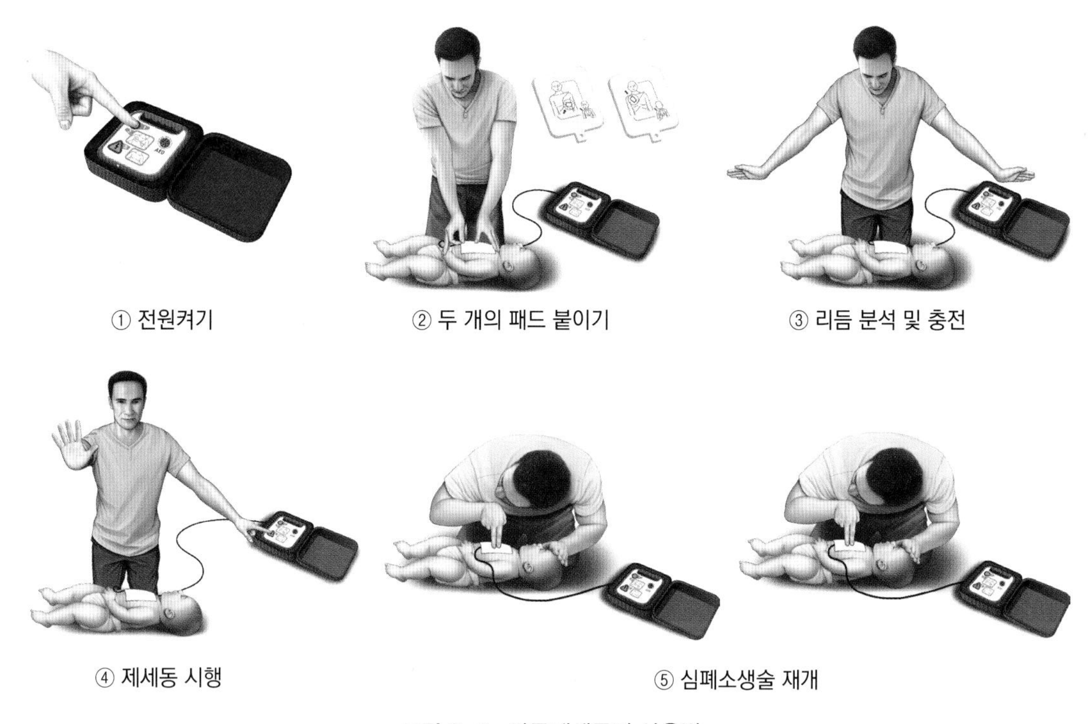

① 전원켜기 ② 두 개의 패드 붙이기 ③ 리듬 분석 및 충전

④ 제세동 시행 ⑤ 심폐소생술 재개

그림 2-6. 자동제세동기 사용법

① 전원켜기(그림 2-6-1)

제세동기 종류에 따라 뚜껑을 열면 저절로 전원이 켜 지는 것도 있고, 전원 버튼이 있는 것도 있다. 뚜껑을 열면 저절로 전원이 켜 지는 기계의 경우에는 뚜껑을 열면 곧바로 음성 명령이 나오므로 그대로 따르면 된다. 전원 버튼이 있는 경우는 눈에 띄게 가장 큰 버튼이 있으므로 확인 후 누르도록 한다.

② 두 개의 패드 붙이기(그림 2-6-2)

패드의 전선이 이미 기계에 연결되어 있는 기계가 아니라면 전선을 연결하기 전에 패드를 환자의 가슴과 옆구리에 먼저 붙인 후 전선을 기계에 꽂도록 한다. 전선을 먼저 꽂고 패드를 붙이는 경우 그 때 발생하는 노이즈를 심실세동 등으로 인식할 수 있다. 패드를 붙이는 위치는 패드 위에 그림으로 나와 있다. 오른쪽 패드는 환자의 오른쪽 쇄골 밑, 가슴뼈 오른쪽에 붙이고, 왼쪽 패드는 환자의 왼쪽 젖꼭지 옆 겨드랑이 선이 만나는 위치에 붙여준다. 어린 영아에게 소아용 또는 성인용 패드를 사용하거나, 소아에게 성인용 패드를 사용하는 경우 패드가 너무 커서 겹쳐질 수 있으므로 앞뒤로 붙여 사용하도록 한다.

③ **리듬 분석 및 충전**(그림 2-6-3)

패드를 부착하고 전선을 기계에 연결하면 기계가 저절로 리듬을 분석하기 시작한다. "리듬 분석 중이니 환자에게서 떨어지세요"라는 음성 명령이 나오면 환자에게 접촉하고 있는 사람이 없도록 "모두 환자에게서 떨어지세요"라고 명령하면서 모두 떨어졌는지 확인한다. 리듬 분석 결과 제세동 필요한 리듬이면 "제세동이 필요합니다. 충전중입니다" 라는 음성 명령이 나온다. 이 때는 충전이 완료되기 전까지 환자에게 접촉 가능하므로 가슴압박을 재개하도록 한다.

④ **제세동 시행**(그림 2-6-4)

충전이 완료되면 제세동 버튼이 반짝이며 "제세동 시행합니다. 환자에게서 떨어지세요" 라는 음성 명령이 나온다. 가슴압박을 시행하고 있는 중이라면 "제세동 합니다. 환자에게서 모두 떨어지세요" 라고 명령하면서 환자에게서 모두 떨어진 것을 확인한 후 제세동 버튼을 누른다.

⑤ **심폐소생술 재개**(그림 2-6-5)

제세동 버튼을 누른 직후 가슴압박으로 시작하는 심폐소생술을 다시 시작한다. 자동제세동기는 2분마다 리듬을 재분석한다. 자동제세동기를 끄지 말고 심폐소생술을 지속하도록 한다. 리듬 분석과 제세동 단계에서 환자에게 접촉한 사람이 없도록 반드시 확인한다.

4) 익수

익수에서 물에 잠겼던 시간은 예후를 예측하는 중요한 인자이다. 그 외의 나이, 응급처치의 신속성, 물의 형태(담수 또는 해수), 수온, 목격자의 유무는 신뢰할 만한 예후인자가 아니다. 얼음물에 익수된 경우는 익수 시간이 길더라도 생존 가능성이 있으므로 구조 시간을 연장할 수 있다. 익수된 소아는 물에서 꺼낸 후 즉시 심폐소생술을 시작해야 한다. 특수 훈련을 받은 구조자의 경우에는 물속에서부터 인공호흡을 시작한다. 물속에서의 가슴압박은 효율성이 없으므로 하지 않는다. 물이 기도폐쇄를 일으키는 이물로 작용한다는 증거는 없으므로, 환자의 폐로부터 물을 빼내기 위하여 시간을 허비하지 않는다. 기도를 열고 2회 인공호흡 후 가슴압박을 하며 심폐소생술을 시작한다. 혼자 있다면 30:2로 가슴압박과 인공호흡을 5회 주기 시행한 후 응급의료체계에 신고하고 자동제세동기를 준비하도록 한다. 두 명 이상의 구조자가 있으면 첫 번째 구조자는 심폐소생술을 계속하고, 두 번째 구조자는 응급의료체계에 신고하고 자동제세동기를 준비하도록 한다.

2 소아 전문소생술

소아 심장정지의 전문소생술 순서는 다음과 같다(그림 2-7).

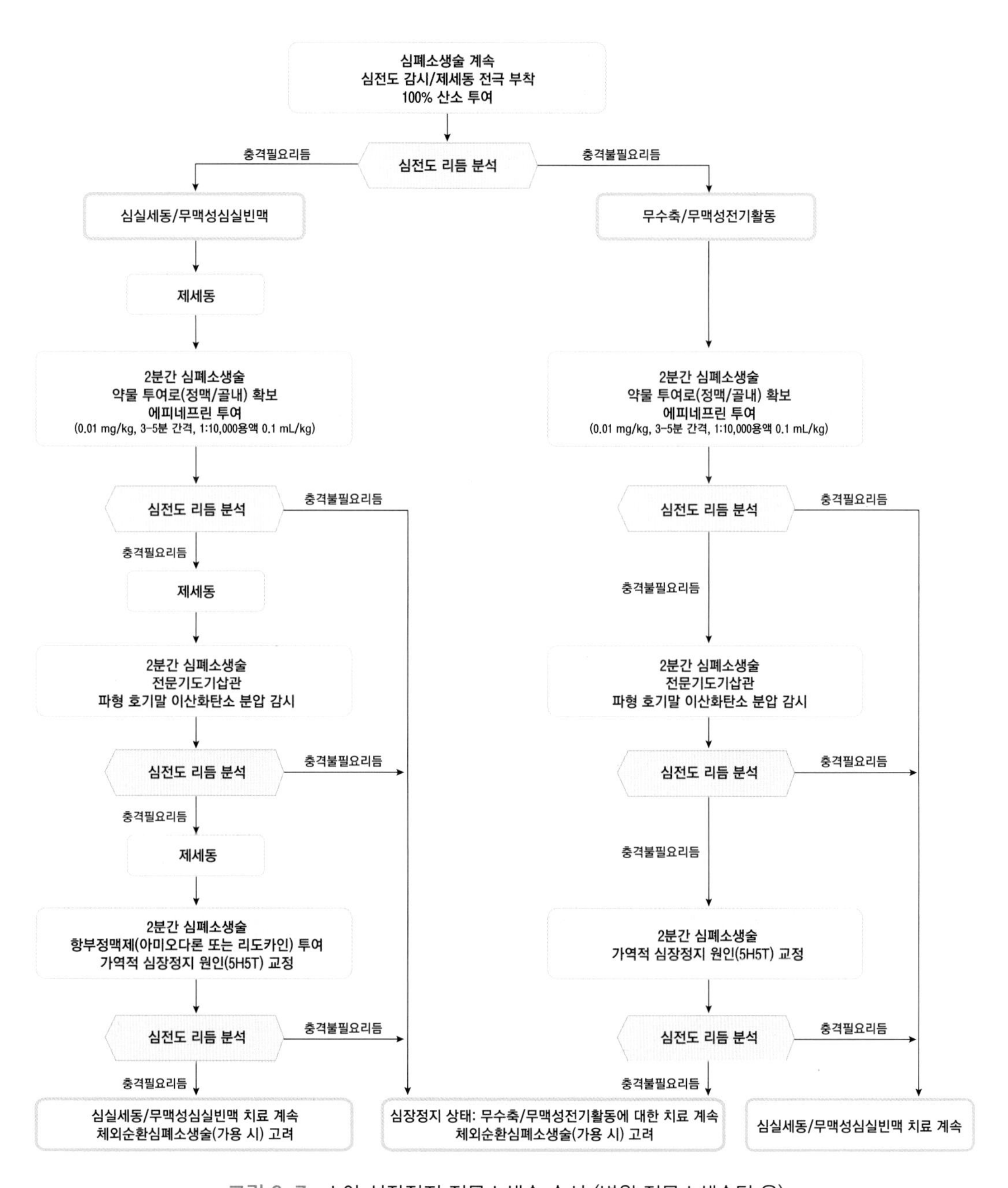

그림 2-7. 소아 심장정지 전문소생술 순서 (병원 전문소생술팀 용)

1) 심장정지의 확인 및 기본 소생술

소아가 반응이 없고 숨을 쉬지 않거나 비정상 호흡을 하는 것을 발견하면 곧바로 도움(병원 내인 경우 심폐소생술 방송)을 요청하고 제세동기를 가져오도록 한다. 목격자는 맥박과 호흡을 동시에 10초 이내에 확인하고 맥박과 호흡이 없으면(또는 간헐적으로 헐떡이는 비정상적인 호흡을 하면) 고품질의 심폐소생술을 시작한다. 산소가 있으면 투여하고, 심전도 모니터나 자동제세동기 패드를 가능하면 빨리 부착한다. 호흡 보조는 1인 구조자인 경우는 가슴압박:인공호흡을 30:2로 시행하고, 2인 구조자 이상이 있는 경우는 가슴압박:인공호흡을 15:2로 시행한다. 전문기도기를 삽입한 경우에는 가슴압박을 멈추지 말고 분당 100–120회의 속도로 계속하고 호흡을 담당하는 구조자는 매 6초마다 한 번씩(분당 10회) 인공호흡을 해 주고, 가슴압박을 하는 구조자가 지치지 않도록 2분마다 역할 교대를 해 준다.

2) 리듬 확인

심폐소생술을 지속하는 동안 자동제세동기나 수동제세동기가 도착하면 환아의 심장 리듬을 심전도로 판단한다. 만일 자동제세동기를 사용하는 경우에는 기계가 자동으로 충격필요리듬(심실세동 또는 무맥성 심실빈맥)인지 혹은 충격불필요리듬(무수축 또는 무맥성 전기활동)인지를 알려 준다. 리듬 확인을 위해 가슴압박을 잠시 중단해야 할 수도 있다. 질식성 심장정지에서는 무수축이나 넓은 QRS 서맥이 가장 흔하나, 심폐소생술을 하는 도중에 언제든, 또는 나이가 많은 소아의 갑작스러운 심장정지시에는 심실세동이 보일 수 있으므로 리듬을 확인하도록 한다.

(1) 충격불필요리듬(무수축/무맥성 전기활동)

무수축은 심장이 수축하는 리듬이 전혀 관찰되지 않는 상태를, 무맥성 전기활동이란 조직화된 전기활동이 있지만, 느리고 넓은 QRS를 보이면서 맥박이 만져지지 않는 경우를 말한다. 드물기는 해도 심장정지 초기에는 정상 QRS를 보이면서 맥박이 없고 조직 관류가 나쁜 경우도 있다. 무수축/무맥성 전기활동 모두 가능한 한 가슴압박 중단을 최소화하면서 심폐소생술을 지속해야 한다. 혈관을 확보하고 에피네프린을 0.01 mg/kg (1:10,000 용액으로 0.1 mL/kg)을 소생술이 지속되는 동안 3–5분 간격으로 투여한다. 고용량 에피네프린은 생존율 향상에 이점은 없고 질식성 심장정지에서는 오히려 해로울 수 있어 사용하지 않는다. 다만 베타 차단제 과다 복용과 같은 예외적인 상황에서 고려될 수 있다.

2분마다 가슴압박하는 구조자의 역할을 교대해 주면서 리듬과 맥박을 확인하고 계속 충격불필요리듬을 보이는 경우 2분마다 리듬과 맥박을 확인하면서 심폐소생술을 지속한다. 소아 심장정지의 가역적 원인(5H: hypothemia, hypoxia, hypovolemia, hypokalemia/hyperkalemia, hydrogen ion (acidosis), 5T: tamponade, thrombosis (pulmonary, cardiac), toxin, tension pneumothorax, trauma)을 고려해보고 확인되면 교정한다. 어느 순간이든 충격필요리듬이 보이는 경우에는 충격필요리듬 흐름도로 이동하여 진행한다.

KEY

- 소아심장정지의 가역적 원인 (5H, 5T)

  5H:
  Hypothermia (저체온)
  Hypoxia (저산소혈증)
  Hypovolemia (저혈량)
  Hyperkalemia/hypokalemia (고칼륨혈증/저칼륨혈증)
  Hydrogen ion (acidosis) (수소이온(산혈증))

  5T:
  Tamponade (심장눌림증)
  Thrombosis (pulmonary, cardiac) (혈전증(폐동맥, 심혈관))
  Toxin (약물중독)
  Tension pneumothorax (긴장기흉)
  Trauma (외상)

(2) 충격필요리듬(심실세동/무맥성 심실빈맥)

심실세동에서 제세동은 17-20% 정도의 생존율을 보이는 중요한 치료 방법이다. 생존율은 이차성 심실세동보다 원발성 심실세동에서 더 높다. 성인의 심장정지에서 소생술과 제세동을 하지 않는 경우 생존확률이 1분마다 7-10% 씩 감소하는 것으로 알려져 있다. 심장정지 발생 초기부터 가슴압박 중단을 최소화하면서 고품질의 소생술을 시행하는 경우 생존율이 높다. 또한 가슴압박과 제세동 사이의 시간을 최소화할 때 제세동 성공 가능성이 높아진다. 따라서 구조자는 가슴압박을 멈추고 제세동을 시행하기까지의 시간을 최소화하도록 미리 준비해야 하며 제세동 시행 후에는 즉시 가슴압박으로 시작하는 심폐소생술을 재개하도록 한다.

구조자들은 제세동기가 준비되어 제세동이 가능해질 때까지 소생술을 시행한다. 가슴압박은 전문기도 확보 전까지는 인공호흡 2회를 적용할 때, 심장 리듬을 확인할 때, 제세동을 시행할 때에만 중단하는 것이 이상적이다.

충격필요리듬이 확인되면, 제세동기가 충전될 때까지는 가슴압박을 계속하고, 충전이 되어 제세동을 시행하기 바로 직전에 가슴압박을 중단한 후, 첫 번째 제세동을 2 J/kg의 용량으로 가능한 한 빨리 시행하고 즉시 가슴압박과 함께 소생술을 재개한다. 첫 번째 제세동이 실패한 경우에 바로 연속하여 증량된 에너지로 제세동을 시행하는 것은 장점이 없고 가슴압박의 재개가 즉각적인 추가 제세동보다 더 중요하다. 가슴압박을 지속하는 것이 관상동맥 관류를 증가시키고 다음 전기충격으로 제세동이 성공할 가능성을 높인다. 가슴압박 중단부터 제세동까지, 제세동 후 가슴압박 재개까지의 간격을 최소화하는 것이 매우 중요하다. 첫 번째 제세동 후 2분간 심폐소생술을 지속한다. 혈관(또는 골내 주사로)을 확보한다. 2분 후 리듬을 확인하고 충격필요리듬이 지속된다면 제세동기 용량을 4 J/kg 로 올려서 제세동을 시행한다. 제세동 후 곧바로 가슴압박으로 시작하는 심폐소생술을 시행하고 확보된 혈관으로 에피네프린을 0.01 mg/kg (1:10,000 용액으로 0.1 mL/kg)를 3–5분 간격으로 투여한다. 이후 다시 리듬 확인을 할 때 계속 충격필요리듬이라면 4 J/kg 이상(최대 10 J/kg, 혹은 성인 용량을 넘지 않도록)으로 제세동을 한다. 이후 제세동이 성공하지 않았다면 아미오다론 또는 리도카인을 투여한다. 만약 리듬 확인 시 충격불필요리듬이라면 무수축/무맥성 전기활동에 대한 흐름도를 따른다. 제세동 후 2분 심폐소생술 후 리듬 확인 시 조직화된 리듬이 보인다면 맥박을 확인한다.

가슴압박을 하는 동안 호기말 이산화탄소 분압이 급격히 증가하거나 관찰 중인 동맥 파형(이미 동맥압 모니터 중이었다면)의 상승을 보이면 자발순환이 회복되었다는 것을 예상할 수 있다. 소아 심장정지 환자의 심폐소생술 중에 반드시 호기말 이산화탄소 분압을 측정하여 가슴압박의 방법을 조정할 필요는 없다(2020년 한국심폐소생술 지침. 권고 등급 IIb, 근거수준 C–LD). 다만 호기말 이산화탄소 분압을 측정할 수 있는 상황에서는 사용하는 것이 도움이 될 수 있다.

자발순환이 회복되었다면, 소생술 후 치료를 계속한다. 제세동이 성공한 후 다시 심실세동이 재발하면 심폐소생술을 다시 시작하고, 재발 직전에 제세동을 성공했던 에너지 용량으로 제세동을 다시 시도한다. 5H, 5T 등 가역적인 심장정지의 원인이 있는지 확인하고 찾아 교정한다.

비틀림 심실빈맥은 다형성 심실빈맥으로 QT 간격 연장과 관련이 있다. QT 간격 연장은 선천성 혹은 약물의 독성에 의해 나타날 수 있는데 1A 항부정맥제(프로카인아미드, 퀴니딘, 디소피라미드) 또는 III 항부정맥제(소탈롤, 아미오다론), 삼환성항우울제, 디곡신 등이 원인이 될 수 있다. 비틀림 심실빈맥은 전형적으로 빠르게 심실세동이나 무맥성 심실빈맥으로 진행한다. 따라서 무맥성 심실빈맥이나 심실세동이 발생하면 구조자는 심폐소생술을 시작하여야 하고 제세동을 시행한다. 원인에 상관없이 빠르게 수 분에 걸쳐 마그네슘(25–50 mg/kg, 최대 일 회 용량 2 g)을 정맥 내로 투여한다.

3) 호흡기 감염 유행 시기의 전문소생술(그림 2-8)

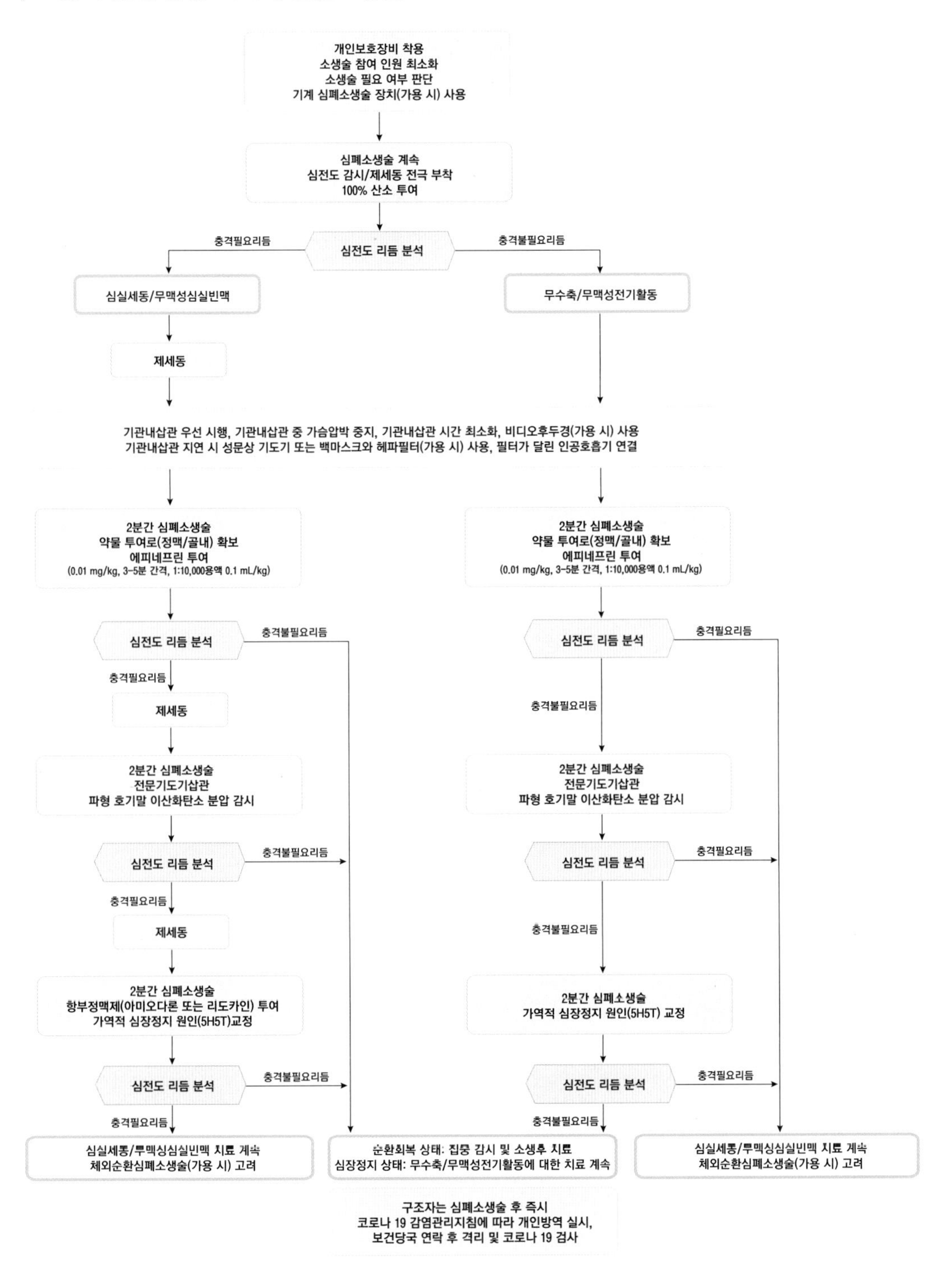

그림 2-8. 코로나 19 유행 시 소아 심장정지 전문소생술 순서 (병원 전문소생술팀 용)

코로나19 등의 호흡기 감염이 유행하는 시기에는 심장정지가 확인이 된 경우, 심폐소생술 참여 전에 구조자들은 개인 보호 장비를 착용하고, 기계 심폐소생술 장치가 있는 경우는 그걸 사용하는 것을 고려하여, 소생술 참여 인원을 최소화하여 심폐소생술을 시작한다. 개인 보호구 착용은 에어로졸 생성 처치(가슴압박, 기도 확보, 환기)를 시행하는 경우에는 공기격리용 보호구(airborn-precaution personal protective equipment: PPE)를 착용해야 한다. 심폐소생술을 시작하고 심전도 리듬을 분석한 후 충격필요리듬이면 제세동을 1회 시행하고 기관내삽관을 시행하며, 충격불필요리듬이면 리듬 확인 후 바로 기관내삽관을 시행하고 이후 심폐소생술을 지속한다. 기관내삽관 시에는 가슴압박을 중지하며 가능한 비디오 후두경을 사용하고, 필터가 달린 인공호흡기를 연결한다. 기관내삽관 지연 시에는 성문상 기도기를 삽입하거나 백마스크와 헤파필터를 사용하여 기도를 유지한다. 심폐소생술을 마친 후에는 감염관리 수칙에 따라 가능한 한 빨리 비누와 물로 손을 깨끗이 씻거나 알코올 기반의 손 소독제로 손을 소독하여야 하며 옷을 갈아입을 것을 권장한다. 또한 지역 보건당국에 연락하여 코로나 19 검사와 자가격리 여부 등을 확인한다.

4) 약물의 투여

(1) 소아 전문소생술 약물의 투여경로 확보

① 골내 주사로

골내 주사로는 소아에게 사용할 수 있는 빠르고, 안전하고 효과적인 주사 투여 경로이며 특히 심장정지 상태에서는 첫 번째로 시도해볼 만한 주사로이다. 에피네프린, 아트로핀, 수액, 혈액 제제, 카테콜아민 등 소생술에 사용되는 대부분의 정맥투여 약물을 투여할 수 있고, 약물 발현 시간도 정맥로로 투여하는 경우와 비슷하다. 수액 백을 손으로 눌러주거나 전동식 주입 펌프기를 사용하면 점액성의 약물을 투여하기 쉽고, 수액을 빠른 속도로 투여할 수도 있다. 매 약물 투여 후에는 생리식염수 5–10 mL를 일시주입해야 약물이 신속히 중심혈류에 도달할 수 있다.

② 정맥주사로

말초 정맥주사로를 빨리 확보할 수 있다면 소생술에 좋은 주사로로써 사용할 수 있지만, 심폐정지 등의 응급상황에 있는 소아 환자의 말초 정맥주사로를 확보하기는 매우 어렵다. 중심정맥은 장기간 안전하게 사용할 수 있지만, 말초 정맥을 확보하는 것보다 중심 정맥을 확보할 때까지 시간이 더 걸릴 수 있으며 시술자의 경험과 능력이 요구된다는 한계가 있어 응급상황에서 초기 주사로서 권장되지 않는다. 중심정맥로를 확보하는 것은 혈관수축제, 중탄산나트륨, 혹은 칼슘과 같이 말초 부위로 주입하다가 샐 경우 조직손상을 일으키는 약물을 안전하게 투여할 수 있도록 한다는 데에 의의가 있으며 심장정지 이전에 환자가 이미 중심정맥로를 가지고 있는 경우에는 이를 사용하여야 한다. 수액을 신속하게 많은 양을 투여하기 위해서는 저항이 적은 넓은 직경을 가지면서 길이가 짧은 단일 내경의 말초 정맥로의 도관이 유리하다. 관 수가 여러 개이고 길이가 긴 중심 정맥의 경우 빠른 수액 투여에 있어 말초 정맥로보다 불리할 수 있다.

응급정맥로 확보가 필요한 심각한 쇼크 또는 심장정지 전 단계의 영아 또는 소아의 경우 신속한 정맥로 확보가 불가능하면 골내 주사로를 우선 확보해야 한다.

③ 기관 내 약물 투여

소생술 중에는 골내 또는 정맥주사로가 가장 적절한 약물 투여 경로이다. 그러나 주사로를 확보할 수 없는 경우에는 지방 용해성 약물(리도카인, 에피네프린, 아트로핀, 날록손)에 한하여 기관내 투여가 가능하지만 그 효과는 일정하지 않다. 심폐소생술 중이라면 가슴압박을 중지하고 5 cm 길이의 도관을 연결하여 기관내로 깊숙이 도관을 넣은 후 약물을 투여하고 적어도 5 mL 정도의 식염수를 투여한 후 5번의 양압 호흡을 한다. 기관내로 투여하는 약물의 적절한 용량은 알려진 바 없으며 통상적으로 정맥 투여 용량의 약 2–3배를 투여한다. 에피네프린의 경우 정맥 용량의 10배가 권장된다. 중탄산나트륨이나 칼슘 등과 같은 비지방용해성 약물은 기도에 손상을 일으키므로 기관내로 투여해서는 안 된다.

(2) 응급상황에서의 몸무게 측정

응급상황에서도 소아 환자의 약물치료는 체중에 따라 용량을 결정해야 한다. 그러나 응급실로 실려 들어오는 경우나 병원 밖에서 발생한 응급상황에서는 환자의 체중을 모르는 경우도 종종 발생하며, 보호자가 알려주는 체중은 정확하지 않을 수 있다. 겉모습으로 환자의 체중을 추정하는 것은 정확하지 못하며 나이에 따른 체중 추정 공식을 사용하는 방법은 환자의 나이를 모를 수도 있고 특정 나이에 해당하는 정상 체중의 범위가 너무 넓어 실용적이지 못하다. 응급상황에서 키는 쉽게 측정할 수 있으며 키를 통해 비교적 정확하게 환자의 체

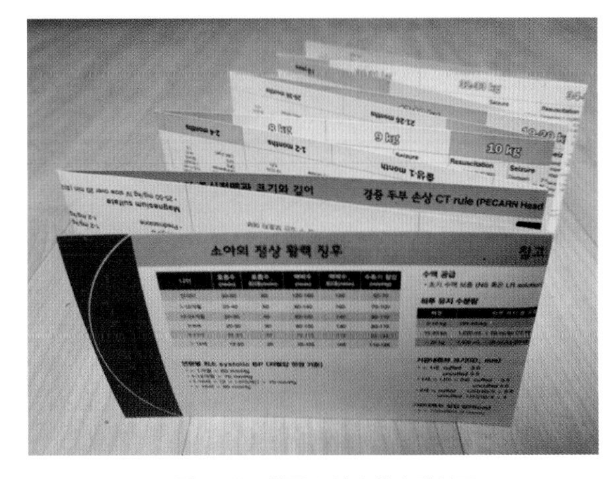

그림 2-9. 한국소아소생술테이프

중을 추정할 수 있다. 키로 체중을 추정하고, 추정된 체중에 따라 미리 계산된 약물 용량을 인쇄해 놓은 소생술 줄자를 사용할 수 있다. 키를 통해 체중을 추정하는 방법은 실제 체중이 25 kg을 넘거나 나이가 많은 소아인 경우 실제보다 체중을 더 적게 추정할 수 있음을 고려해야 한다.

소생술에 사용하는 약물의 용량 계산은, 환자의 체중을 아는 경우라면 체중을 이용하고, 체중을 모르는 경우라면 소생술 줄자를 사용한다. 체중별 약물용량의 계산은 2018년 대한심폐소생협회에서 제작한 한국 소아소생술 테이프(그림 2-9)를 사용할 것을 2020년 한국심폐소생술 지침에서 권장하고 있다.

소아 전문소생술에서 사용되는 약물과 용량은 표 2-2에 정리하였다.

표 2-2. 소아 전문소생술에서 사용하는 약물과 용량

약	용량	주의사항
에피네프린	정맥내/골내: 0.01 mg/kg(1:10,000 용액 0.1 mL/kg). 최대 용량 1 mg 기관내: 0.1 mg/kg(1:1,000 용액 0.1 mL/kg). 최대 2.5 mg	3-5분마다 반복 투여 심장정지 후 5분 이내에 초기 용량이 들어갈 수 있도록 염기성 용액에서는 불활성화되므로 중탄산나트륨과 절대 섞이지 않도록
아미오다론	5 mg/kg 정맥내/골내 15 mg/kg까지 두 번 추가 투여 가능 최대 일 회 용량 300 mg	심장정지 시에는 정맥 일시주입 심장정지가 아닌 경우 20-60분에 걸쳐 천천히.
리도카인	일시주입: 1 mg/kg 정맥내/골내 지속주사: 분당 20-50 mcg/kg	
아데노신	0.1 mg/kg(최대 6 mg)	급속 정맥/골내 주사 후 생리식염수 5 mL 정도 일시주입
아트로핀	0.02 mg/kg 정맥내/골내 0.04-0.06 mg/kg 기관내(필요하면 한번 반복 투여) 최대 일 회 용량 0.5 mg	유기인산 중독의 경우에는 고용량 투여를 고려
포도당	0.5-1 g/kg 정맥내/골내	신생아: 5-10 mL/kg D10W 영아와 소아: 2-4 mL/kg D25W 청소년: 1-2 mL/kg D50W
중탄산나트륨	1 mEq/kg 천천히 정맥내/골내	기관내삽관 등 적절한 환기가 가능해진 후 투여
염화칼슘(10%)	20 mg/kg 정맥내/골내(0.2 mL/kg) 최대 일 회 용량 2 g	천천히 투여
황산 마그네슘	10-20분에 걸쳐 25-50 mg/kg 정맥내/골내 비틀림 심실세동에는 더 빠르게 최대 용량 2 g	

5) 체외막산소공급 장치(extracorporeal membrane oxygenation: EMCO)를 이용한 심폐소생술

체외막산소공급 장치를 사용한 소생술은 심장정지 시 자발순환으로 회복되지 못한 환자에게 기계를 이용하여 정맥–동맥 체외막산소공급 장치(venoarterial extracorporeal membrane oxygenation, VA ECMO)를 적용하는 것을 의미한다. 체외막산소공급 장치를 사용한 소생술은 많은 자원이 필요하고 복잡한 다학제적인 협력이 요구되므로 적용하려 할 때 이에 대한 고려가 필요하다. 체외막산소공급 장치를 사용한 소생술이 심장정지 후 예후를 개선한다는 연구도 있지만 모든 심장정지에서 사용하기에는 아직 근거가 부족하다. 병원내 심장정지 시 10분 이상 심폐소생술을 시행한 소아 환자에게 체외막산소공급 장치를 사용한 소생술을 시행했을 때 생존퇴원율과 양호한 신경학적 생존율이 개선되었다는 보고가 있으므로 체외막산소공급 장치를 사용한 소생술 프로토콜, 전문가, 장비가 잘 갖추어진 병원에서는 병원내 심장정지의 치료 과정에 체외막산소공급 장치를 사용한 소생술을 고려해 볼 수 있다. 하지만, 심장성 심장정지가 아닌 경우에는 심폐소생술의 기본 치료로 체외막산소공급 장치를 적용하는 것에 대한 근거는 부족하다.

6) 외상에 의한 심장정지 시의 심폐소생술

외상은 소아와 청소년 사망의 주요한 원인이다. 손상으로 인한 심장정지는 사망률이 매우 높다. 긴장기흉, 혈흉, 폐 손상, 심장눌림증 등은 외상 후 혈역학적 불안정을 야기하고 산소화, 환기를 방해할 수 있는 원인이므로 흉, 복부 외상 환자에게서 꼭 확인해야 한다. 외상으로 인한 심장정지 가이드라인에서는 출혈 조절, 순환 혈액량 회복, 기도 확보, 긴장기흉 또는 심장눌림증에 대한 처치를 권고한다. 이러한 처치는 일반적인 심폐소생술과 동시에 진행되어야 한다.

외상으로 발생한 소아심장정지 환자의 기본소생술에서 몇 가지 강조되는 사항이 있다.

① 소아외상 환자의 심장정지는 출혈 등에 의한 저혈량증보다 호흡이 원활하게 유지되지 않아 발생하는 경우가 많다. 따라서 외상 환자의 경우에도 환자의 호흡과 환기가 잘 유지되는지 반드시 확인해야 한다

② 부러진 치아 조각, 혈액 등으로 기도폐쇄의 가능성이 있으면 흡인 장치를 사용한다.

③ 외부에 출혈이 있으면 눌러 지혈시킨다. 출혈 부위를 확인하기 위해서 옷을 벗기고 몸 전체를 확인해야 한다. 확인 후에는 반드시 따듯한 천으로 덮어주어 저체온증이 생기지 않도록 유의해야 한다.

④ 손상의 기전상 척추 손상의 가능성이 있으면 경추의 움직임을 최소화하고 머리와 목을 잡

아당기거나 움직이지 않는다. 턱 밀어올리기로 기도를 유지하고 머리를 젖히기 위해 기울이지 않는다. 턱 밀어올리기로 기도가 유지되지 않으면 머리 젖히고 턱 들기 방법으로 기도를 확보한다. 두 명의 구조자가 있으면 한 명은 기도를 열고 다른 구조자는 경추 움직임을 막는다(그림 2-10). 적어도 넓적다리, 골반과 어깨는 척추고정판에 함께 고정한다. 영아와 소아는 상대적으로 머리가 크기 때문에 경추를 굴곡시키지 않는 최상의 자세는 후두부를 몸통보다 약간 우묵한 곳에 위치시키거나 몸통을 약간 높인 자세로 척추고정판에 고정하여야 경추 굴곡을 피할 수 있다(그림 2-11).

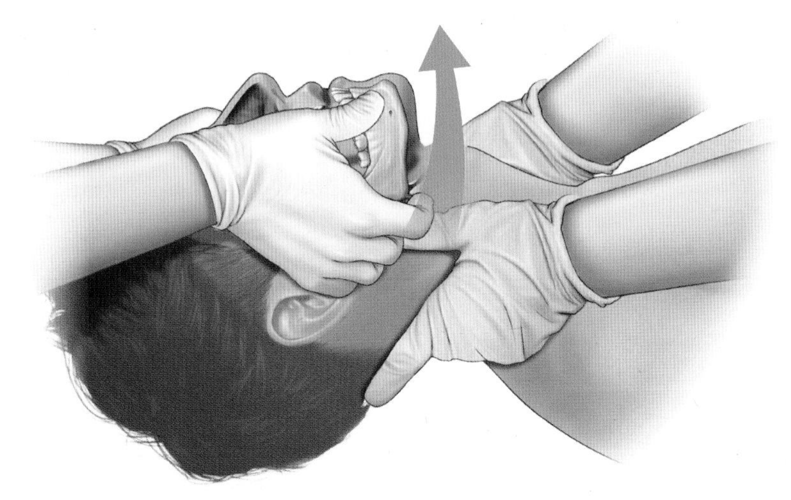

그림 2-10. 2명 이상의 구조자가 있을 때 경추 손상 가능성이 있는 환자의 기도 유지

(A)

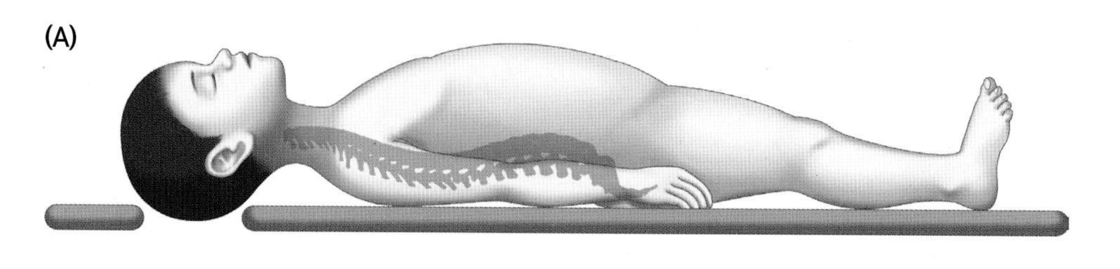

(B)

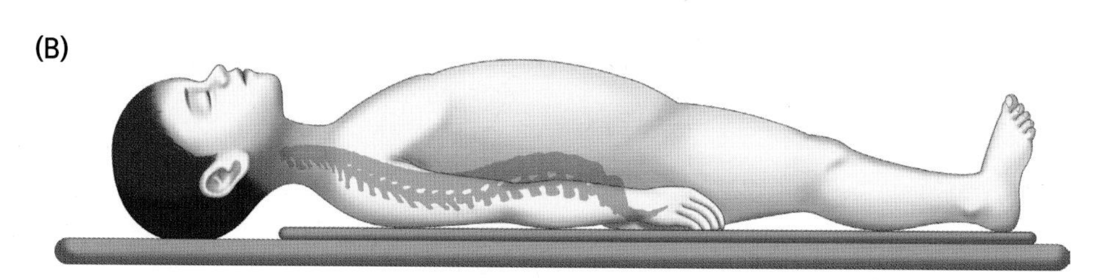

그림 2-11. 소아 척추 고정

⑤ 다발성 장기 외상을 입은 소아는 가능하면 소아 전문가가 있는 외상 센터로 이송한다.

⑥ 관통 외상을 입은 맥박이 없는 소아를 위해 개흉술을 고려할 수 있다. 하지만 둔상으로 인한 맥박이 없는 소아, 영아에게 응급 개흉술을 시행하는 것은 아직 근거가 부족하다.

3 생존사슬

그림 2-12. 소아 병원내 심장정지 생존사슬

생존사슬(chain of survival)은 심장정지가 발생한 사람의 생명을 구하기 위해 실행되어야 하는 가장 중요한 요소의 연결고리이다(그림 2-12). 심장정지 발생 시 생존사슬의 각 요소가 유기적으로 실행되었을 때 심장정지 환자의 생존 가능성이 커진다. 각 의료기관은 입원해 있는 환자를 심장정지로부터 예방하고 조기에 치료하려는 방안을 마련해야 한다. 이를 위하여 병원은 환자의 증상 또는 징후를 감시하여 심장정지의 조기 경고 징후를 찾아내고 환자의 위기 상황에 대처할 수 있는 신속대응팀을 운영할 필요가 있다.

1) 소아 심장정지의 예방

(1) 소아 심장정지의 예방 조기 경고 체계

신속대응체계는 병원 내 입원환자의 생리적 변화를 조기에 감지하여 심장정지를 예방하고 중환자실 입실을 줄이기 위해 많은 의료기관에서 적용하고 있다. 이 시스템은 병원 내에서 의료진 호출로 인한 시간 지연으로 환자가 악화되는 것을 막기 위해, 혈압, 맥박, 호흡 수, 체온, 산소포화도, 의식 수준 등을 점수화하여 상태 변화를 조기에 경고하기 위한 것이다.

신속대응체계 등에 이용하기 위해 개발된 소아 조기 경고 체계(pediatric early warning score, PEWS)의 활용은 소아 환자의 심장정지 발생률, 병원 체류 기간, 사망률을 감소시킬 뿐 아니라 계획하지 않은 중환자실 입실을 감소시키는 것으로 나타났다. 현재 국내 신속대응팀 활성화에 대한 합의된 기준은 없어 지속적인 추가 관찰이 필요하다.

위 체계를 사용하는 의료기관에서는 소아 조기 경고점수체계를 사용할 경우 환자의 상태 변화를 민감하게 파악하기 위해서 항목을 어떻게 구성할 것인지에 대해 결정해야 한다. 활력 징후만을 포함할 것인지 혹은 패혈증, 호흡 곤란, 각 종류의 쇼크, 부정맥, 대사성 산증 등을 반영시킬 것인지, 그리고 조기 경고 점수의 위양성 여부를 어떻게 감별할 것인지에 대한 논의가 필요하다.

2020년 한국심폐소생술 지침에서는 영아와 소아를 진료하는 병원에서는 소아 조기 경고 체계(PEWS)를 사용하는 것을 권고 등급 I로 제안하고 있다(권고 등급 I, 근거수준 B-NR).

(2) 소아 신속대응팀

신속대응팀은 전문 의료진으로 구성되어 병원 안에서 상태가 악화되는 환자를 감시하고 응급처치를 전담하는 팀으로 심장정지가 발생하기 전에 나타나는 징후들을 빨리 파악하고 대처할 수 있다. 신속대응팀은 병원의 자원에 따라 구성, 운영방법, 활성화 시스템 등을 달리할 수 있다. 의료기관에서는 환자의 호흡기, 심혈관계, 의식변화 등을 민감하게 파악하고 신속한 개입 및 효율적인 중환자 관리를 할 수 있도록 숙련된 의료진으로 신속대응팀을 구성해야 한다.

소아 신속대응팀의 운영이 병원내 심장정지 소아에서 자발순환회복률을 높이고 사망률을 낮춘다는 근거는 부족하나, 병원 내, 특히 중환자실 밖 환자의 심장정지 발생을 줄인다는 연구들이 보고되어 있다. 따라서, 훈련된 전문 인력을 갖춘 의료기관에서는 병원내 소아 심장정지 발생을 예방하기 위해 소아 신속대응팀을 구성하여 운영하는 것을 고려할 수 있다(2020년 한국심폐소생술 지침 권고 등급 IIb, 근거수준 C-LD).

4 이물에 의한 기도 폐쇄

이물 흡인에 의한 사망의 90% 이상은 5세 미만에서 발생하며, 이 중 65%는 영아에게 발생한다. 이물에 의한 기도 폐쇄의 임상 증상은 갑작스러운 호흡 곤란과 기침, 구역질 등이 있으며, 그렁거리거나 천명음이 동반된다. 이전에 발열이나 호흡기 증상 없이 갑자기 발생하는 것이 다른 원인의 호흡 곤란과 감별되는 소견이다. 이물에 의한 기도 폐쇄는 가벼운 증상부터 심한 기도폐쇄까지 다양하게 나타날 수 있다. 기도가 완전히 막히지 않은 경우에는 환자가 기침을 하거나 소리를 낼 수 있다. 이런 경우에는 환자에게 계속 기침을 하도록 유도하면서 119에 신고하도록 한다. 기도가 완전히 폐쇄되는 경우는 말을 하지 못하고, 기침을 하려해도 소리가 나지 않고, 숨을 쉬지 못하며 청색증이 생기면서 의식이 감소한다. 이럴 때는 119에 신고 후 기도 이물을 제거하기 위한 즉각적인 처치가 필요하다.

1) 소아 기도 폐쇄 처치

1세 이상의 소아의 경우 복부 밀어내기를 이물이 나올 때까지 또는 의식이 없어질 때까지 시행하도록 한다. 환자의 반응이 없어진 경우 맥박의 유무와 상관없이 심폐소생술을 시작한다. 가슴압박 후 인공호흡을 하기 전에 이물이 보이는지 입안을 확인하고 보이는 경우에는 손가락을 사용하여 이물을 꺼낸다. 잘 보이지 않는데 손가락으로 입안을 훑어내는 행동은 이물을 인두 내로 더 깊게 밀어 넣거나 인두에 손상을 줄 수 있기 때문에 절대 해서는 안 된다.

2) 영아 기도 폐쇄 처치

1세 미만의 영아는 5회의 등 두드리기와 5회의 가슴 밀어내기 방법(그림 2-13)을 이물이 나오거나 의식이 없어질 때까지 교대로 반복 시행한다. 5회의 가슴 밀어내기 방법 시행 전에 입안에 이물이 보이는지 확인하고 이물이 보이면 제거하고 보이지 않는 경우에는 계속 위 방법을 지속한다. 환아의 반응이 없어지는 경우 심폐소생술을 시행하고 인공호흡 전에 입안에 이물이 보이는지 확인한다. 이물이 보이면 손가락으로 제거하되, 이물이 보이지 않거나 확실하지 않을 때 손가락을 입안에 넣어 훑는 행동은 절대 하지 않는다. 1세 미만의 영아는 갈비뼈가 상복부 장기를 충분히 보호

(A) 5회 등 두드리기

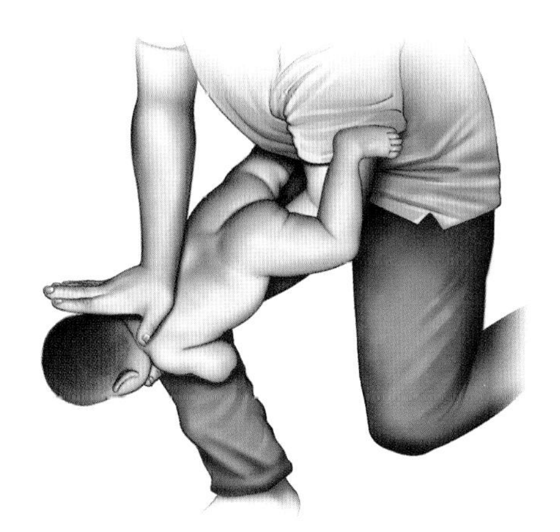

(B) 5회 가슴 밀어내기

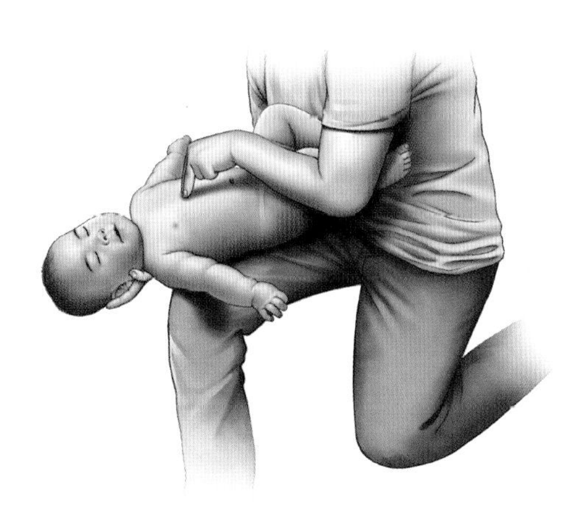

그림 2-13. 영아의 기도폐쇄 응급처치 방법

하지 못하고 간이 상대적으로 크기 때문에 복부 밀어내기 방법을 사용하는 경우 내부 장기손상의 위험이 커 시행하지 않는다.

▶ 참고 문헌

1. Alqudah Z, Nehme Z, Williams B, Oteir A, Bernard S, Smith K. A descriptive analysis of the epidemiology and management of paediatric traumatic out–of–hospital cardiac arrest. Resuscitation. 2019;140:127–34
2. Choi YH, Kim DK, Kang EK, Kim J–T, Na JY, Park B, et al. 2020 Korean Guidelines for Cardiopulmonary Resuscitation. Part 7. Pediatric advanced life support. Clin Exp Emerg Medicine. 2021;8(Suppl):S81–95
3. Crewdson K, Lockey D, Davies G. Outcome from paediatric cardiac arrest associated with trauma. Resuscitation. 2007;75(1):29–34
4. Lambert V, Matthews A, MacDonell R, Fitzsimons J. Paediatric early warning systems for detect–ing and responding to clinical deterioration in children: a systematic review. BMJ Open. 2017;7(3):e014497
5. Lee J, Kim DK, Kang EK, Kim J–T, Na JY, Park B, et al. 2020 Korean Guidelines for Cardiopulmonary Resuscitation. Part 6. Pediatric basic life support. Clin Exp Emerg Medicine. 2021;8(Suppl):S65–80
6. Shibahashi K, Sugiyama K, Hamabe Y. Pediatric Out–of–Hospital Traumatic Cardiopulmonary Arrest After Traffic Accidents and Termination of Resuscitation. Ann Emerg Med. 2020;75(1):57–65
7. Topjian AA, Raymond TT, Atkins D, Chan M, Duff JP, Joyner BL, et al. Part 4: Pediatric Basic and Advanced Life Support: 2020 American Heart Association Guidelines for Cardiopulmonary Resuscitation and Emergency Cardiovascular Care. Circulation. 2020;142(16_suppl_2):S469–523

제 3 장

소아소생술 필요 술기

전문소생술은 기본소생술에 추가하여 전문기도유지술로 효과적인 인공호흡을 제공하고 정맥주사 또는 골내주사를 통해서 적절한 약물을 투여하면서 의료진 간의 팀워크를 통하여 효과적인 소생술을 시행하는 것이다.

1 전문기도유지술(Advanced Airway)

1) 개요

심폐소생술 중 산소 공급이 가능한 경우에는 성문상 기도기(supraglottic airway)나 기관내삽관 같은 전문기도기를 통해서 고농도(100%)의 산소를 투여한다. 전문기도기가 갖추어지지 않은 경우에는 반드시 보유주머니(reservoir bag)가 달린 백마스크(bag valve mask)를 사용해서 고농도의 산소를 투여하는데(표 3-1), 1인 구조자만 있을 때에는 30회의 가슴압박과 2회의 인공호흡을 하나의 묶음으로 심폐소생술을 시행하고, 2인 구조자일 때는 15회의 가슴압박과 2회의 인공호흡을 하나의 묶음으로 시행한다. 전문기도기가 삽관된 후에는 더 이상 인공호흡 시 가슴압박을 중단할 필요 없이 분당 100-120회의 가슴압박을 지속하면서 6초에 한번씩 분당 10회의 인공호흡을 시행한다. 자발순환이 회복된 후에는 동맥혈 산소포화도를 100%까지 높게 유지하는 것은 체내 조직에 손상을 일으킬 수 있으므로 94-99%정도로 유지되도록 산소투여량을 조절한다.

표 3-1. 기구별 산소 공급 농도

기구	투여량	산소농도
Nasal Cannula	1 L/min	24% O_2
	2 L/min	28% O_2
	3 L/min	32% O_2
	4 L/min	36% O_2
	5 L/min	40% O_2
Simple Face Mask	6 L/min	35% O_2
	7 L/min	40% O_2
	8 L/min	45% O_2
	9 L/min	50% O_2
	10 L/min	55% O_2
Face Mask with reservoir	6 L/min	60% O_2
	7 L/min	70% O_2
	8 L/min	80% O_2
	9 L/min	90% O_2
	10 L/min	95% O_2

2) 입인두기도기(oropharyngeal airway)와 코인두기도기(nasopharyngeal airway)

성문상 기도기나 기관내삽관이 되어 있는 경우 심폐소생술을 시행하는 도중에 기관내관(endotracheal tube)의 손상을 방지하고 흡인도관(suction catheter)을 효과적으로 이용할 통로를 만들어 주기 위해서 입인두기도기나 코인두기도기를 사용할 수 있다. 입인두기도기는 길이가 너무 작으면 끝이 혀에 파묻혀 막히게 되고 너무 길면 인두 뒷벽에 손상을 일으킬 수 있다. 따라서 적절한 길이의 것을 사용해야하는데 입꼬리부터 아래턱뼈 각(mandible angle)에 입인두기도기의 양쪽 끝이 맞닿는 것을 선택하고(그림 3-1), 코인두기도기는 양쪽 끝이 콧구멍 바깥쪽부터 아래턱뼈 각에 맞닿는 것을 선택한다(그림 3-2). 성문상 기도기나 기관내관 같은 전문기도기 삽관이 되어 있지 않은 상태에서는 심폐소생술을 할 때 혀가 목 뒤로 밀리면서 발생할 수 있는 기도폐쇄를 예방하고 효율적인 백마스크 인공호흡을 위해서 기도유지 보조도구로 사용할 수 있다. 하지만 입인두기도기는 구토를 유발할 수 있으므로 의식이 있는 소아에게 사용해서는 안되고 코인두기도기는 두개골 기저부 골절 등의 두개, 안면부 손상이 있는 환자에게는 사용하지 않는다.

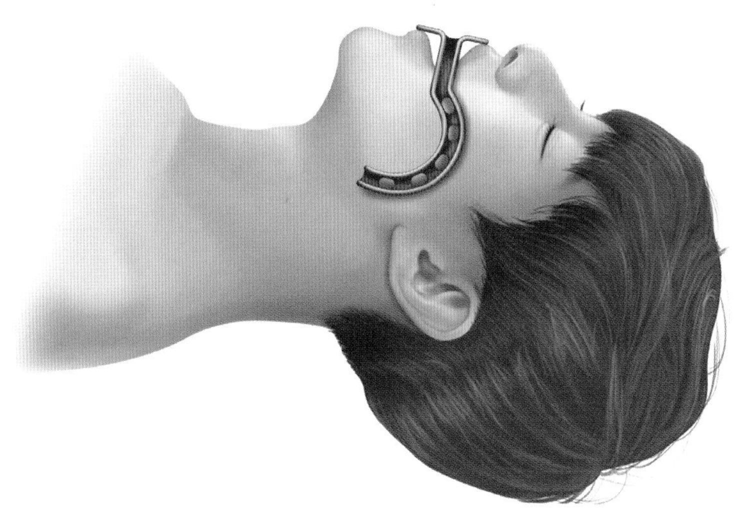

그림 3-1. 입인두기도기 선택(Oropharyngeal Tube Size Selection)

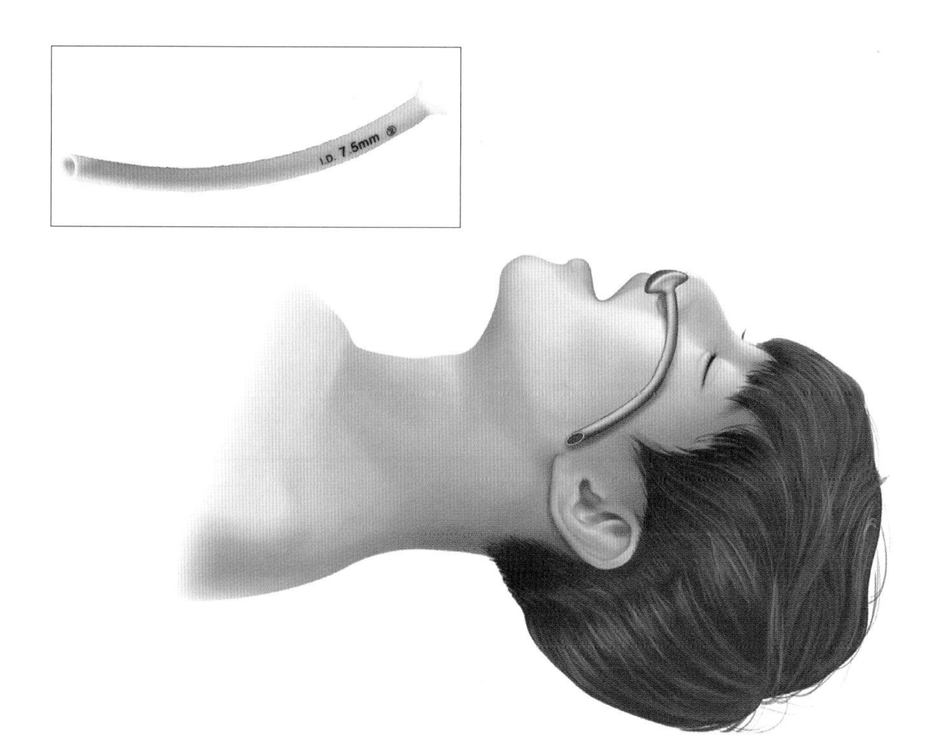

그림 3-2. 코인두기도기 선택(Nasopharyngeal Tube Size Selection)

3) 성문상 기도기(supraglottic airway)

심폐소생술을 하는 동안 기관내삽관에 대한 충분한 훈련과 경험이 없는 의료종사자는 성문상 기도기를 사용하여 인공호흡을 한다. 기관지 안으로 관을 넣지 않고 후두에 위치를 시키기 때문에 몇번의 실습으로 전문기도유지술을 수행할 수 있다. 여러 종류의 상업화된 기구들이 시판되어 있는데 후두마스크 기도기(laryngeal mask airway [LMA], 그림 3-3), i-gel® 기도기(그림 3-4) 등이 있다. 각각 다른 크기의 성문상 기도기 중에서 체중에 따라 하나를 선택해서 사용해야 하는데 대부분 표면에 적정 체중이나 나이가 표시되어 있다. 만일 체중을 알지 못하는 경우에는 키를 기준으로 체중을 알려주는 브로슬로우 소생술띠(Broselow tape®)나 한국형 소아소생술 테이프를 사용하며 체중을 추정하여 알맞은 크기를 선택한다.

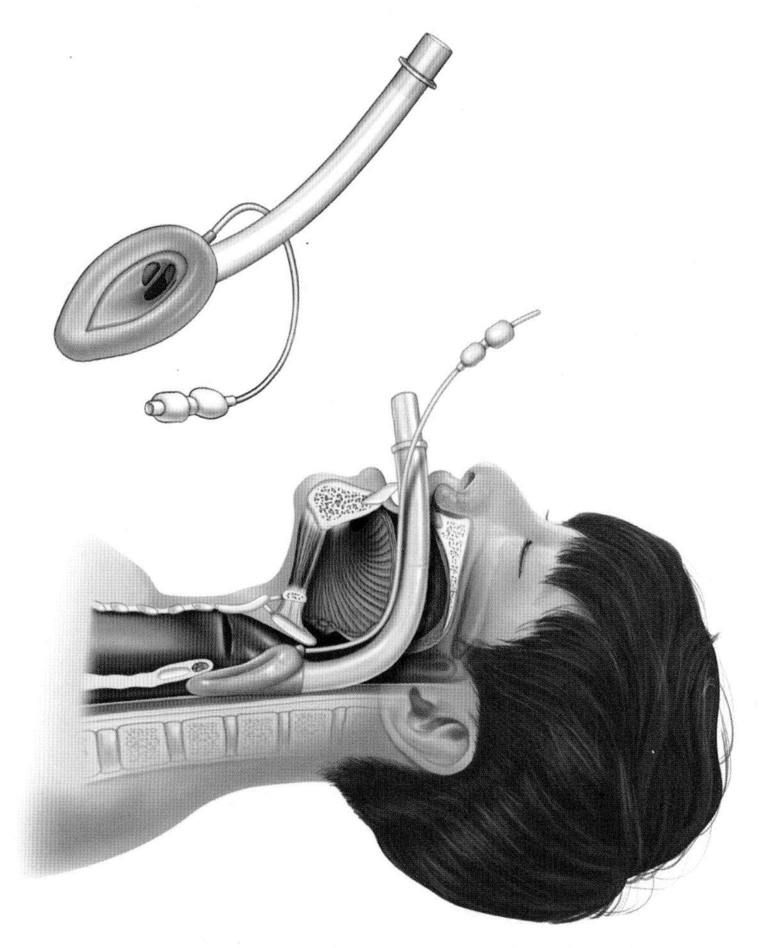

그림 3-3. 후두 마스크 기도기

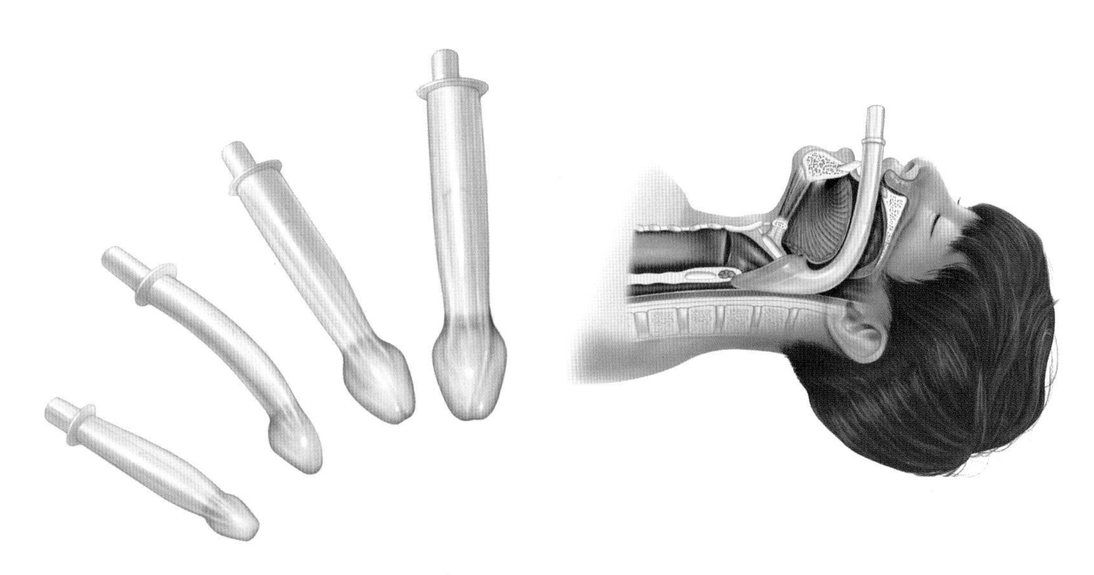

그림 3-4. I-gel® 기도기

4) 기관내삽관(endotracheal intubation)

기관내삽관은 기도를 유지하고 기도 내 분비물을 흡인하며 정맥주사나 골내주사가 없는 경우 일부 약물을 투여할 수 있게 한다. 적절한 크기의 기관내관(endotracheal tube)과 후두경(laryngoscope)을 준비하여야 실수를 줄이고 삽관에 걸리는 시간을 단축시킬 수 있다. 후두경 날의 양쪽 끝이 앞 입술부터 턱 끝에 맞춰지는 크기의 날을 선택하고 영아나 어린 학령전기의 아이들은 직선형의 후두경 날을 사용하고 학동기 이후부터는 성인과 같은 곡선형의 후두경 날을 사용한다(그림 3-5). 대한심폐소생협회에서 제작한 한국소생술테이프에서는 체중 19 kg부터 곡선형 후두경 날의 사용을 권장하고 있어 3세이하에서는 직선형 날을 사용한다. 직선형 후두경은 날의 끝이 후두덮개(epiglottis)를 통과하여 성대 입구 바로 위에 머물도록 하면서 날에 힘을 줘 후두덮개와 혀 기저를 함께 들어 올리면 성문이 드러난다. 곡선형 날을 사용하는 경우 날 끝을 후두덮개계곡(vallecula)에 위치시키고 혀 기저를 들어올릴 때 후두덮개가 따라 올라오도록 한다(그림 3-6). 후두경을 들어 올릴 때는 후두경의 날이나 손잡이를 지렛대처럼 쓰면 안 되며, 치아나 입술, 잇몸에 직접적인 압력을 가하지 않도록 한다. 가슴압박은 기관내관이 성문을 통과할 때에만 5초 이내로 잠시 멈추고 그 외에는 중단하지 않고 삽관 할 수 있어야 한다. 커프(cuff)가 있는 기관내관으로 기관내삽관을 권장하는데, 그 이유는 첫번째로 심폐소생술을 시행하는 동안 위 내용물이나 입인두의 혈액이나 분비물이 폐 안으로 들어가는 것을 방지하고, 두번째로 삽관 이후 커프가 있는 관으로 교체해야 할 경우 다시 삽관하는 것을 줄이기 위해서이다.

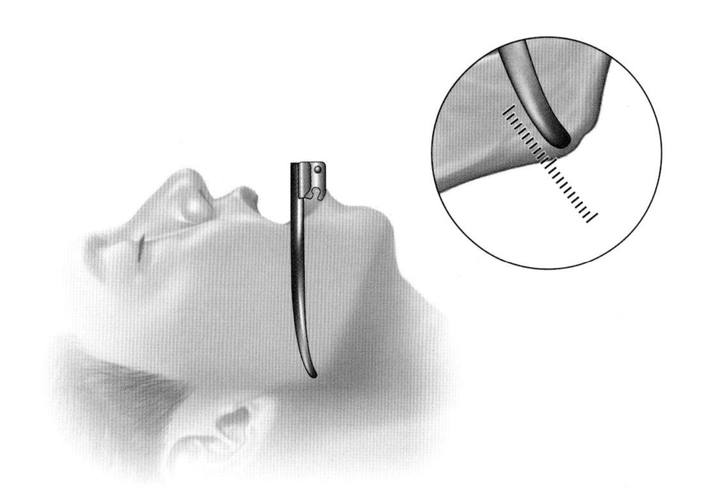

그림 3-5. **후두경 날 선택(Laryngoscope Blade Size Selection)**

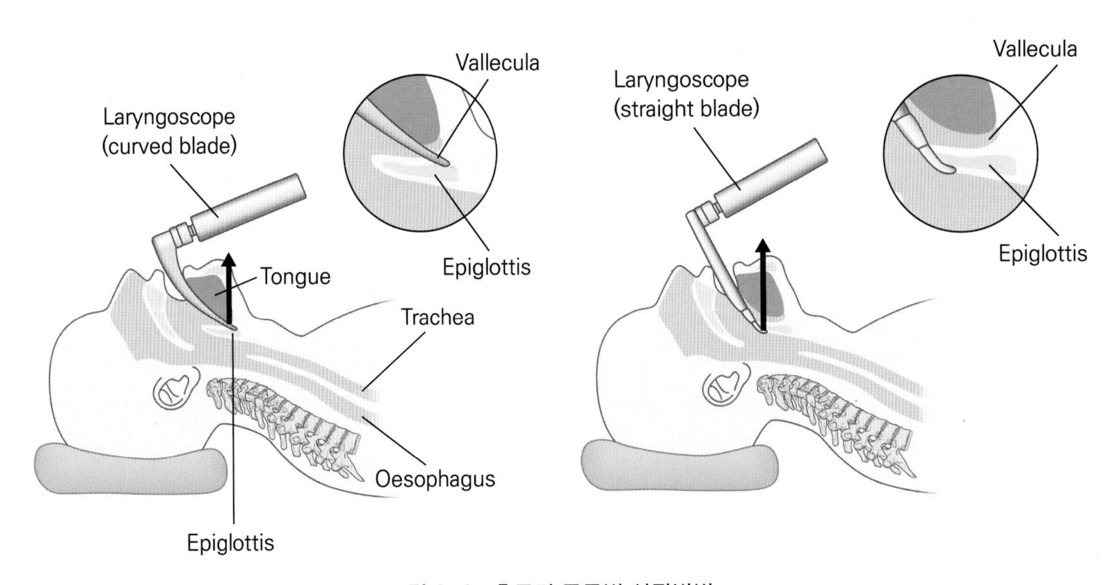

그림 3-6. **후두경 종류별 삽관방법**

기관내삽관 후에는 반드시 삽관 위치를 확인하여야 한다. 호기말 이산화탄소분압(EtCO2) 측정이 삽관 위치를 확인할 수 있는 가장 높은 민감도와 특이도를 가진 방법이다. 호기말 이산화탄소분압 측정기를 튜브에 부착하고 6회 환기 이후에도 파형(wave)이 일정하게 유지되면 기관내삽관이 제대로 되었다고 판단할 수 있다. 파형이 점점 작아지면서 일직선에 가까워지면 식도로 삽관이 된 것이므로 빨리 튜브를 제거하고 다시 백마스크 인공호흡을 시행한다. 이 밖에도 청진이나 초음파,

직접 후두경으로 확인, 흉부 방사선 촬영, 대용량 주사기로 흡인을 해봄으로써 기관내삽관을 확인해 볼 수 있다.

Information Endotracheal Tube Size

Cuffed endotracheal tube (mm) = age/4 + 3.5
Uncuffed endotracheal tube (mm) = age/4 + 4

Information Endotracheal Tube Depth

Depth (cm) = Endotracheal tube size (mm) × 3

5) 흡인(suction)

소생술을 시행하는 동안 호흡기 분비물, 혈액, 위의 구토물 등을 제거하기 위해서 이동용 흡인 도구나 병원 벽에 설치되어 있는 흡인 장치를 사용한다. 효과적으로 입안이나 코인두 그리고 기관지 내의 분비물들을 제거하기 위해서는 80–120 mmHg 정도의 흡입력이 필요하지만 이동용 흡인 기구는 큰 소아나 많은 양의 분비물에 사용하기에는 부족하다. 지름이 크고 음압에도 잘 찌그러지지 않는 반경직(semi–rigid) 흡인 튜브를 벽 흡인 장치에 연결하면 효과적으로 흡인이 가능하지만 소아는 흡입력이 너무 강하면 조직에 손상을 입힐 수 있으므로 압력조절기를 중간에 연결하여 사용한다.

2 골내접근(Intraosseous Access)

심장정지 환자에서 한두 번의 시도로 정맥 주사로의 확보가 어렵다면 상용화된 기구를 사용하여 신속하고 어렵지 않게 골내주사로를 확보할 수 있다(그림 3–7). 만일 상용화된 기구가 없는 경우에는 골수천자용 바늘을 사용하는 것도 가능하다. 골내주입은 뼈속질(bone marrow)의 수질동(medullary sinus)을 통해서 뼈 주위의 정맥으로 빠르게 이동하기 때문에 말초 정맥을 통해 약물을 투여하는 경우와 비슷하게 약물을 체내에 전달하는 것이 가능하다(그림 3–8). 매 약물 투여 후에 생리식염수 5–10 mL를 일시주입(bolus injection)을 하면 약물이 신속히 중심 혈류에 도달하게 된다. 골내접근은 안전하여 모든 연령의 소아에서 시행할 수 있고 약물투여 뿐만 아니라 수액 주입이 가능하고 검사를 위한 혈액채취에도 유용하다.

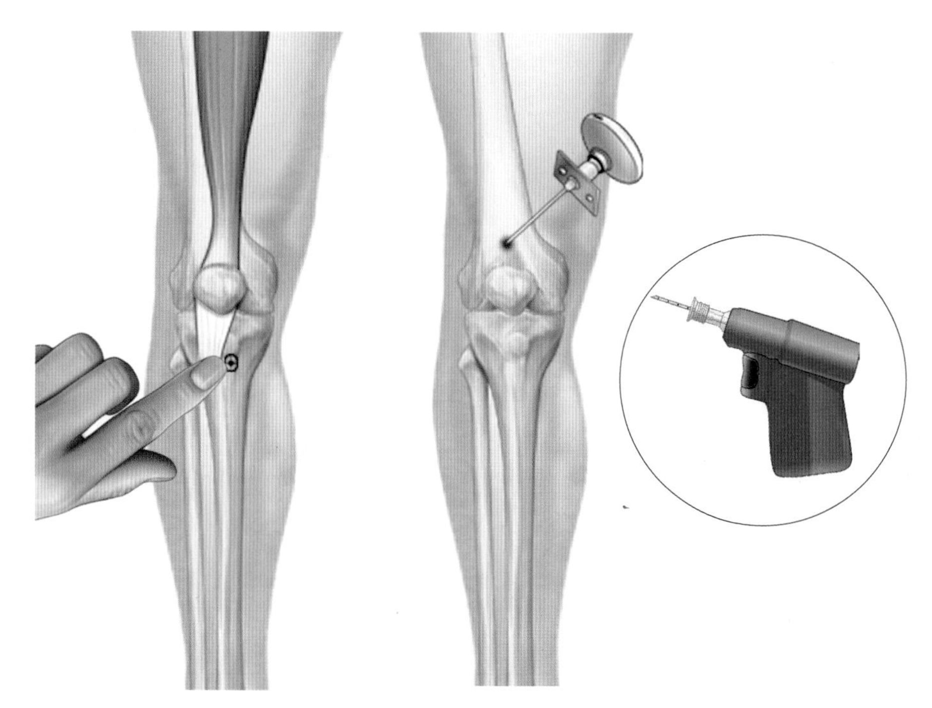

그림 3-7. 골내주사로 기구

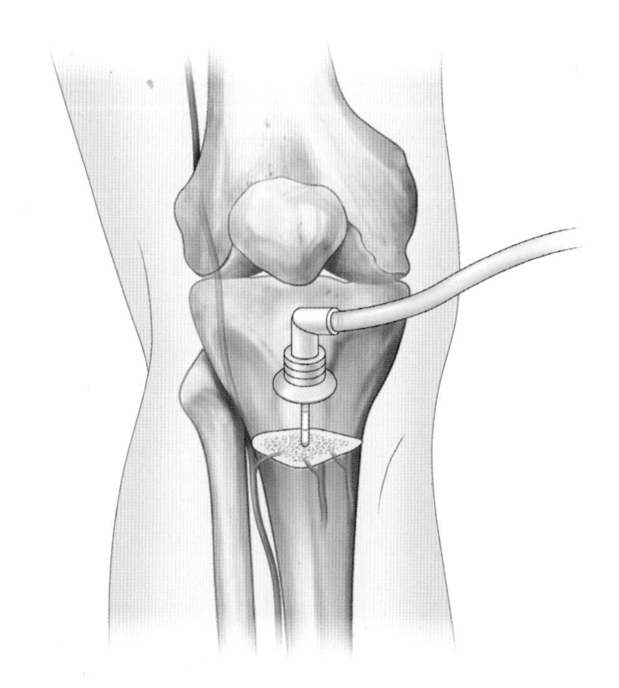

그림 3-8. 골내주사로의 원리

여러 부위에 골내접근을 시행할 수 있는데 무릎 아래 정강뼈(tibia) 내측 근위부의 평편한 곳이 가장 많이 사용하는 부위이다. 이외에도 발목 위 정강뼈 내측 원위부, 넓적다리뼈 원위부, 장골극(iliac spine)의 앞위측(anterior−superior), 그리고 위팔뼈 근위부에도 가능하다(그림 3-9). 몇 가지 금기 사항이 있는데 골절이 있는 뼈나 불완전골형성증(osteogenesis imperfecta) 같이 뼈가 약한 선천성 질환을 가지고 있는 경우, 그리고 골내접근을 시도했다가 실패한 뼈에는 시행하지 않는다. 또한 시행하려는 뼈 위쪽에 피부 감염이 있는 경우에도 시행하지 않는다. 골내카테터를 뼈 안에 위치시킨 후 빈 주사기로 흡인하여 피나 골수가 잘 나오는 지 확인한다. 피나 골수가 잘 나오지 않

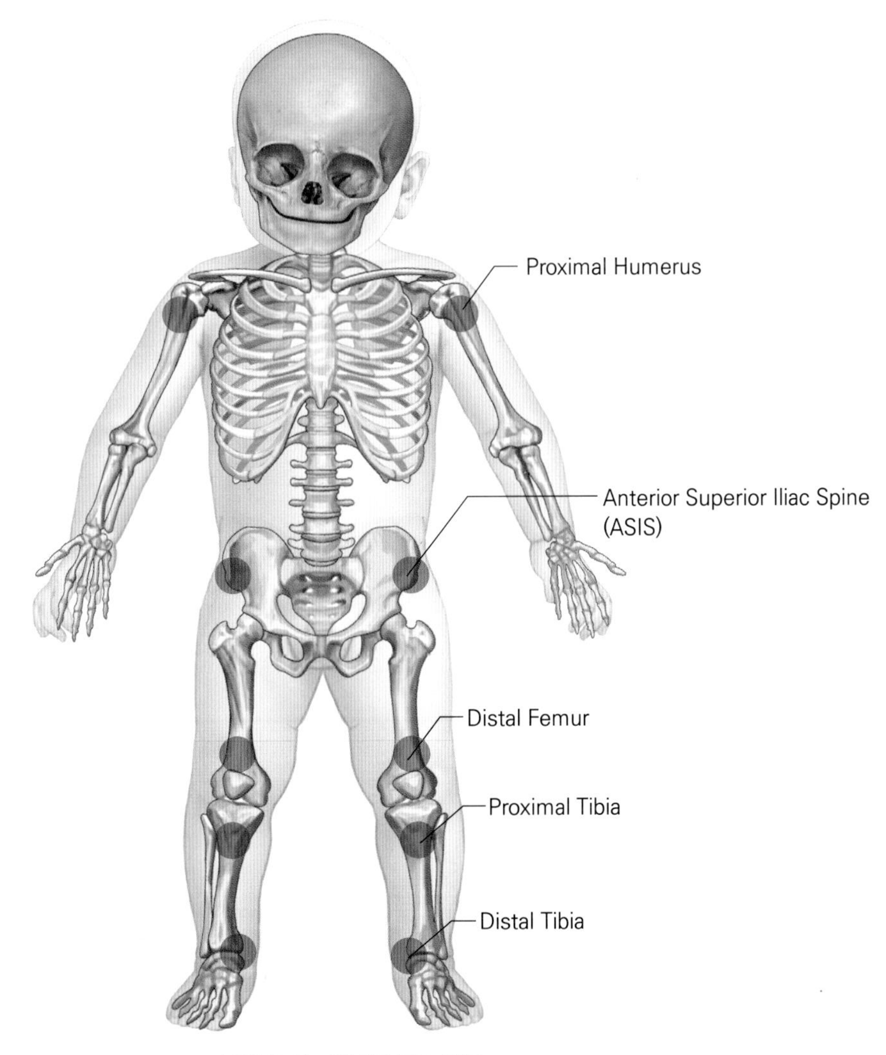

그림 3-9. 골내주사로 위치

는 경우에도 생리식염수로 일시주입를 해보고 주위의 피부가 붓지 않고 저항감없이 부드럽게 잘 들어가면 제대로 위치한 것으로 판단하고 빠지지 않도록 잘 고정한 후 사용한다. 골내주입은 단기간동안에만 사용하기 위해서 임시로 시행하는 것이므로 자발순환이 회복되면 말초정맥로나 중심정맥로를 확보하도록 한다.

3 리듬 판독

심장정지를 확인하면 바로 심폐소생술을 시작하고 심전도 모니터링을 통하여 심장 리듬을 확인하는데, 2분간 한 주기의 심폐소생술이 끝나면 심전도 리듬 확인을 위해 잠시 가슴압박을 중단할 수 있다. 질식성 심장정지에서는 무수축이나 넓은 QRS 서맥이 가장 흔하다. 영아나 소아에게 심실세동이나 무맥성전기활동의 빈도는 흔하지 않지만, 나이가 많은 소아에게 나타나는 갑작스러운 심장정지에서는 심실세동에 의한 심장정지 가능성이 더 크다.

1) 충격불필요리듬(무수축/무맥성전기활동)

무맥성전기활동이란 조직화된 전기활동이 있지만, 흔히 느리고 넓은 QRS를 보이면서 맥박이 만져지지 않는 경우이다(그림 3-10). 가능한 가슴압박 중단을 최소화하면서 고품질의 소생술을 계속하면서 필요한 약물들을 투여한다.

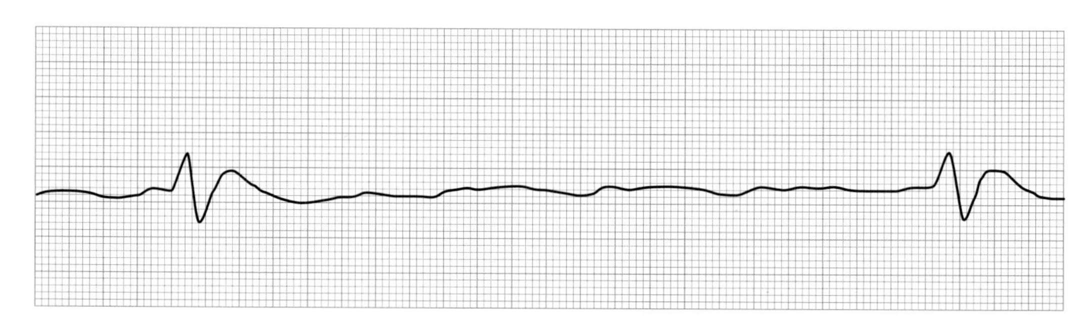

그림 3-10. 무맥성전기활동(Pulseless Electrical activity)

2) 충격필요리듬(심실세동/무맥성 심실빈맥)

심실세동이나 무맥성 심실빈맥이 보이는 경우 반드시 제세동을 시행해야 한다(그림 3-11). 성인의 제세동이 필요한 충격필요리듬을 가진 심장정지에서 소생술과 제세동을 하지 않는 경우 생존 확률이 1분마다 7–10%가 감소하는 것으로 알려져 있다. 심장정지 발생 조기부터 가슴압박 중단을 최소화하면서 고품질의 소생술을 시행한 경우 생존율이 높아지고 구조자가 가슴압박과 제세동 사이의 시간을 최소화할 때 제세동의 결과가 가장 좋아진다. 따라서 구조자는 가슴압박을 멈춘 후부터 제세동 시행 사이의 시간이 최소화되도록, 자동제세동기의 경우 가슴압박을 하는 동안에 미리 전극(pad)을 가슴에 붙이고 수동제세동기의 경우 아이의 체중에 맞는 에너지 크기로 미리 충전시켜 놓고 대기하다가 제세동 시행 후에는 즉시 가슴압박을 다시 시작한다. 제세동 필요 리듬이 계속된다면 리듬 확인 후에도 제세동기가 충전될 때까지 기다리지 말고 바로 가슴압박을 지속한다.

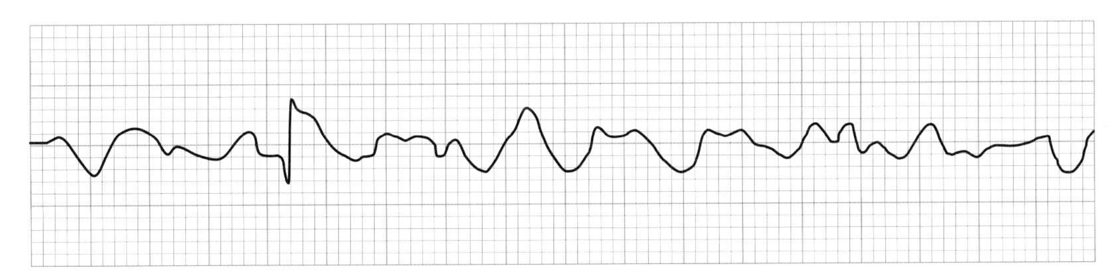

그림 3-11. 심실세동(ventricular fibrillation)

3) 수동제세동기

수동제세동기는 에너지 크기를 조절할 수 있어 소아의 제세동에 가장 적합하다. 일반적으로 수동제세동기는 성인과 영아용 두 가지 크기의 전극이 갖춰져 있고 영아용 전극은 성인용 전극 위 또는 아래에 포개져 있다(그림 3-12). 제세동할 때는 소아의 가슴에 잘 맞는 가장 큰 전극을 사용하고 전극이 서로 접촉되지 않도록 해야 하며 전극 사이의 간격이 적어도 3 cm는 떨어지게 적용한다. 10 kg 이상 또는 1세 이상의 소아는 성인용 크기의 전극(8–10 cm)을 사용하고 10 kg 미만 또는 1세 이하 영아는 영아용 크기의 전극(4.5 cm)을 사용한다.

접착식 전극을 사용할 수 있는 수동제세동기도 있는데 이 것을 사용할 때는 가슴에 단단히 눌러서 전극 위의 젤이 환자의 가슴에 완전하게 접촉되도록 한다. 반면에 수동 전극을 사용할 때는 전극용 젤을 반드시 사용하여야 한다. 식염수, 초음파 젤, 알코올 등을 전극용 젤 대신 사용해서는 안 된다.

제세동 시 전극은 가슴 오른쪽 위와 심첨부(왼쪽 하부 갈비뼈의 젖꼭지 왼쪽에)에 위치시켜서 심장이 두 개의 전극 사이에 있도록 한 후 전극에 압력을 가하여 단단하게 접촉이 잘되도록 한다. 전극을 흉곽의 전후로 위치하는 것은 특별한 장점은 없으나 접착식 전극의 경우 크기가 커서 두 개의 전극이 너무 가까운 경우(3 cm 이내)에는 흉곽 전후에 부착하여 제세동을 시행한다(그림

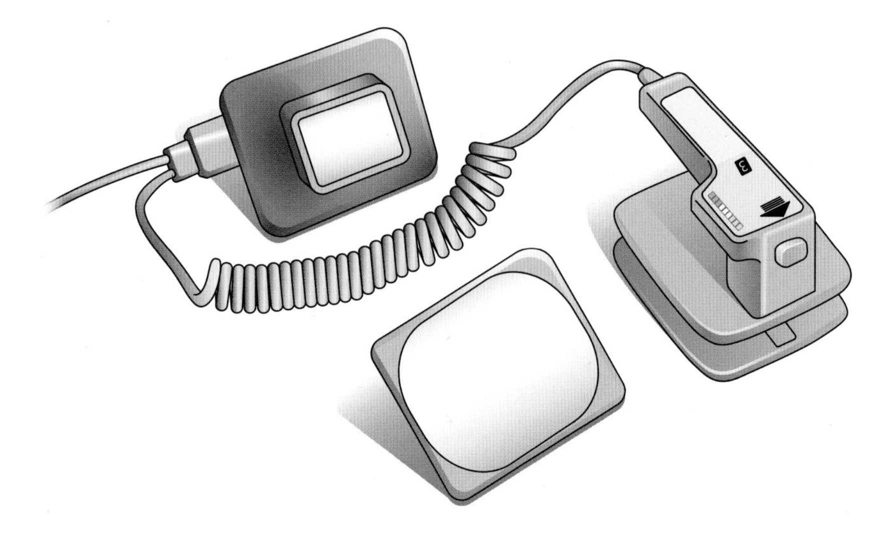

그림 3-12. 영아용 수동제세동기 전극

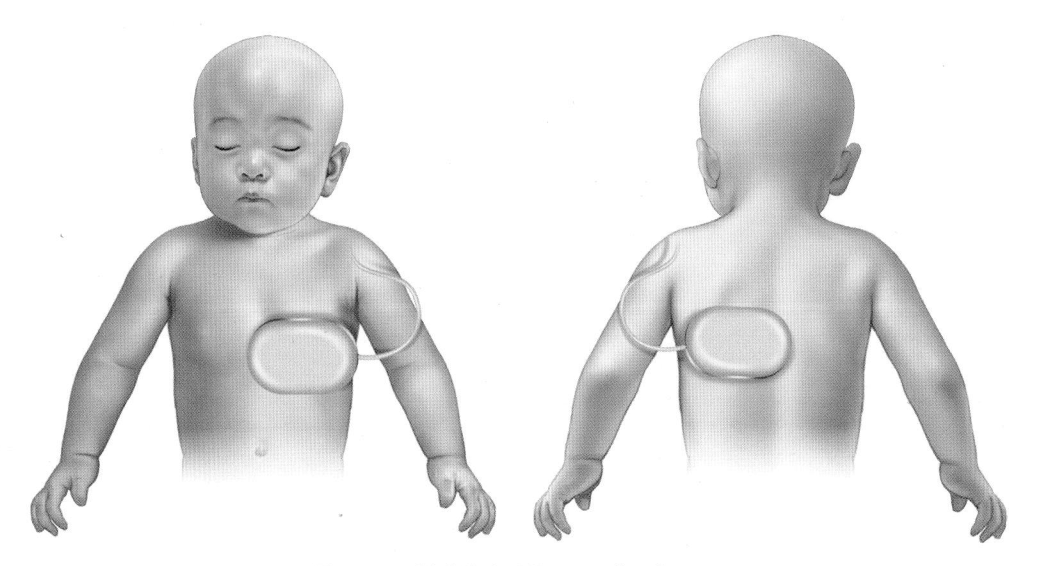

그림 3-13. 영아에서 접착식 전극(pad)의 적용

3-13).

영아와 소아에게 심실세동 또는 무맥성 심실빈맥이 있을 때 단상 파형 또는 이상 파형 제세동기 모두에서 첫 번째 에너지 용량은 2 J/kg을 권장한다. 두 번째 이후의 제세동 에너지 용량은 4 J/kg 이상을 사용하며, 성인의 최대 용량을 넘지 않도록 한다. 제세동기에 해당 에너지 용량이 없는 경우에는 계기판에서 바로 다음 단계의 높은 에너지를 사용한다.

▶ 참고 문헌

1. 질병관리청, 대한심폐소생협회. 2020년 한국심폐소생술 가이드라인. 2020
2. Maconochie IK, Aickin R, Hazinski MF, et al. Pediatric Life Support: 2020 International Consensus on Cardiopulmonary Resuscitation and Emergency Cardiovascular Care Science With Treatment Recommendations. Resuscitation 2020;156:A120–A55
3. Topjian AA, Raymond TT, Atkins D, Chan M, Duff JP, Joyner BL Jr, Lasa JJ, Lavonas EJ, Levy A, Mahgoub M, Meckler GD, Roberts KE, Sutton RM, Schexnayder SM; on behalf of the Pediatric Basic and Advanced Life Support Collaborators. Part 4: pediatric basic and advanced life support: 2020 American Heart Association Guidelines for Cardiopulmonary Resuscitation and Emergency Cardiovascular Care. Circulation. 2020;142(suppl 2):S469–S523. doi: 10.1161/CIR.0000000000000901
4. American Heart Association. 2020 PALS provider manual

제 4 장

소생팀의 역할과 의사소통

소생술은 응급 상황에서 여러 의료인에 의해 다양한 술기들이 시행된다. 성공적인 소생술을 위해서는 참여하는 의료인들의 숙련된 술기뿐만 아니라 의료인들 사이의 조직적인 협업이 필수적이다. 그래서 소생 술기 및 처치 알고리즘을 습득하고 리더십 등 팀역학(team dynamics)에 대해 알아야 한다. 본 장에서는 의료인들 간의 성공적이고 효율적인 팀 역학과 의사소통에 대해서 살펴보고자 한다

1 효율적이고 성공적인 소생팀의 역학

1) 리더십과 의사소통

소생팀의 성과 및 결과를 개선하는데 리더십과 의사소통은 중추적인 역할을 한다.

모든 소생팀에는 리더가 있어야 하며 팀을 조율하고 팀원을 이끌어야 한다.

팀 리더는 팀원의 역할을 배정하여 권한과 책임을 나누어 주고, 팀원들이 자기 역할을 다하면서 상호 협력할 수 있도록 유도해야 한다. 성공적인 소생술을 위해서 팀 리더는 팀원들을 질책하고 비난하기 보다는 부족한 부분을 교육하고 도우며 환자의 치료 방침에 대해 상호 의사소통을 통해 방향을 결정하고 공유한다.

소생술이 끝난 후에는 팀 리더는 소생 과정 및 결과를 분석하여 팀원들과 공유함으로써 다음 소생술이 성공적이 되도록 준비한다.

소생술에 참여하는 자체가 팀원들에게는 큰 스트레스로 작용할 수 있다. 이 스트레스로 인한

팀원들의 불안과 주의력 저하는 우선수위를 잘못 판단하게 하고 술기 수행을 방해할 수 있다. 따라서 팀 리더는 자신감 있고 차분한 어조와 몸동작을 유지하여 팀원들에게 명확한 지시를 내리는 것이 중요하다.

☞ 해야 할 것

"제가 이 팀의 리더를 맡겠습니다. A 선생님께서는 가슴 압박을 맡아 주세요. 그리고 역할이나 지시를 받은 경우에는 큰 소리로 복창해 주세요."

2) 팀 준비와 역할

심장정지 직후에는 1인 목격자 소생술이 수행된다 하더라도 소생술은 여러 의료인에 의해 다양한 중재들이 동시에 수행되기 때문에 참여 의료인들의 공동 노력이 필요하다. 따라서 효과적인 팀워크는 성공적인 소생술의 결과를 높일 수 있다. 효율적인 팀워크을 위해서는 팀 리더와 팀원들의 역할이 중요하다.

(1) 팀 리더의 역할

팀 활동을 조직하고 개별 팀원의 성과를 모니터링하고 통합하여 모든 치료가 적절한 시간에 적절하게 완료되도록 해야 한다. 팀 구성원이 개개인의 업무에 집중해야 하는 반면 팀 리더는 포괄적인 환자 치료에 집중해야 한다. 팀 리더는 또한 팀과 팀원을 위한 탁월한 팀 행동과 리더십 기술을 모델링하고, 미래의 팀 리더를 훈련하고 소생팀의 효율성을 개선하는 데 도움이 되는 가이드 역할을 한다.

(2) 팀원의 역할

고효율 소생술 팀(그림 4-1)의 팀원은 할당된 업무를 능숙하게 수행해야 한다. 소생술 시도가 성공하려면 팀원은 ① 자신의 업무를 능숙하게 수행하고 ② 자신의 역할에 대해 명확히 해야 하며 ③ 각자의 역할을 충실히 수행할 준비가 되어 있어야 하고 ④ 소생술 술기의 능숙 ⑤ 처치 알고리즘의 숙지 ⑥ 헌신적이어야 한다.

각 팀원의 구체적인 역할은 다음과 같다.

- 가슴 압박: 소생술의 전 과정에서 높은 수준의 압박, 매 2분 마다 또는 피로하다면 조기 교대
- 호흡 유지: 기도 유지, 백-마스크 환기 제공, 필요시 전문 기도 유지기 삽입
- 모니터/제세동기/CPR 코치: 환자에게 모니터 연결하여 심장 리듬 확인하고 알리기, 자동제세동기 또는 제세동기를 가져와서 적용. CPR 코치로 배정된 경우 CPR 코칭

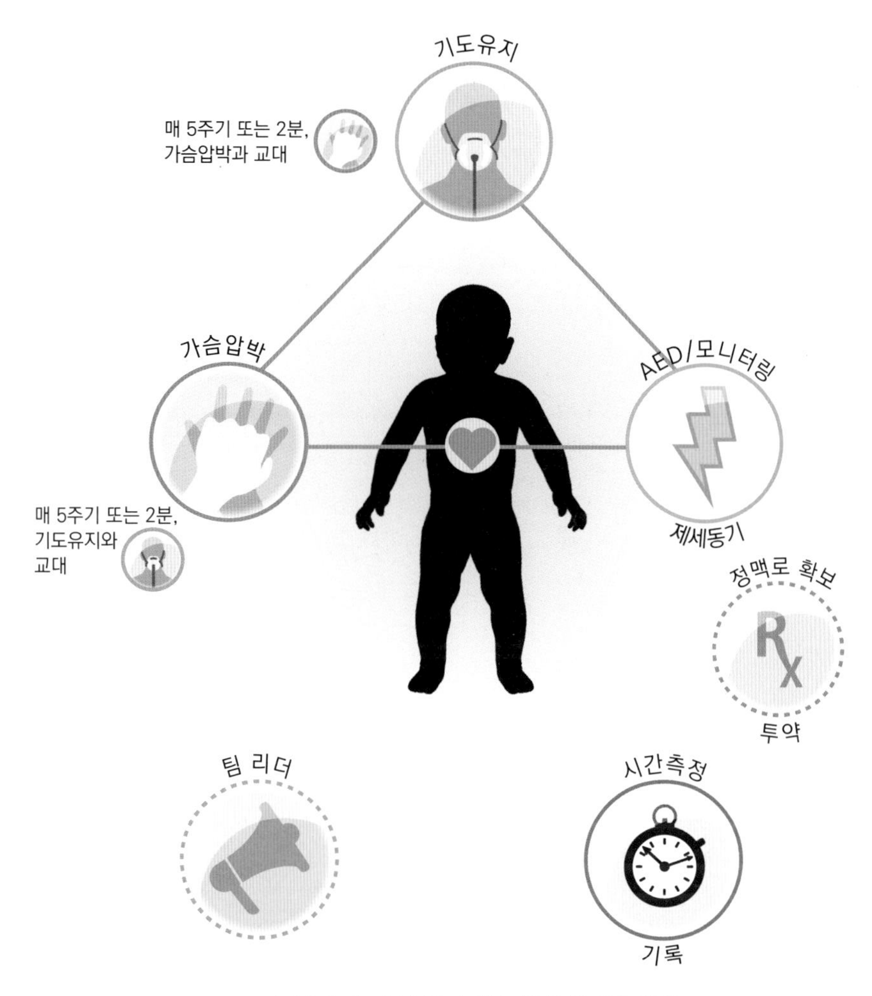

그림 4-1. 고효율 소생술 팀의 팀원과 위치
각 팀원의 역할과 위치는 각 센터의 지침에 맞게 조정될 수 있다.

- 약물 담당: 심장정지 환자의 약물 주입 경로 (혈관/골내) 확보, 가이드라인에 따른 약물 준비 및 투여
- 기록 담당: 심장정지 시간부터 리듬의 변화, 사용된 약물, 제세동 횟수 및 에너지양 등 환자와 관련된 정보를 기록. 소생술 전체 상황을 모니터링하여 리더와 팀원에게 공유하고 의사소통 함

해야 할 것

팀원들은 능동적으로 본인이 잘할 수 있는 것을 할 수 있어야 한다. "제가 정맥주사로를 확보하겠습니다." 혹은 "제가 모니터와 제세동기를 담당하도록 하겠습니다"라고 팀리더가 역할 분배를 하기 전에 미리 역할을 말할 수 있어야 한다.

3) 팀워크

팀워크란 상호 보완적인 지식과 기술을 가진 두 명 이상의 의료진에게 발생하는 역동적인 한 과정으로 공동의 목표를 공유하고, 환자의 치료 및 진단, 계획에 대해 협력이 잘된 물리적 정신적인 노력으로 정의된다. 좋은 팀 워크를 위한 팀 리더의 주요 책임은 팀 내에서 소생술 노력을 동기화하고 팀원들과 의사소통하여 적절한 결정을 내리고 합리적인 치료를 수행하기 위해 팀을 지휘하고 소생 상황에 대한 전반적인 관점을 검토하는 것이다. 이를 위해서 팀 리더는 한 발 물러서서 팀 구성원에게 위임할 수 있는 가슴압박과 같은 개입을 최소화하는 것이 필요하다. 팀 리더가 팀 내에 구축한 팀워크의 정도는 수행 성과와도 깊은 관련이 있다.

4) 치료 결정 및 치료 방향 결정

아마도 소생술 리더십의 가장 어려운 측면 중 하나는 치료결정이다. 환자 평가와 치료 방향 결정은 소생술 전 과정에서 반복된다. 성공적인 소생술 팀은 치료 결정에 필요한 정보를 함께 모아서 치료과정을 검토하며 치료 계획에 대해 함께 상의한다. 환자의 상태나 치료에 대한 반응은 술기를 시행하는 팀원이 잘 알고 있으므로 팀 리더는 팀원으로부터 정보를 얻어 치료 결정을 내리고 치료 계획을 세운다. 결정된 치료 및 계획은 팀원들에게 결정을 뒷받침하는 근거와 함께 명확하게 전달하는 것이 중요하다.

소생술 동안에 문제 상황이 발생했을 때 팀원에게 먼저 알리고 의견을 구하여야 한다. 문제 상황이 없을 때에도 환자 상태나 치료 경과에 대해 요약해서 팀원 전체에게 알려야 한다. 이렇게 하면 팀 리더와 팀원 간의 의견 불일치를 피할 수 있다. 정보가 제대로 전달되지 않으면 일부 팀원들은 리더의 결정에 대해 불편함을 느낄 수 있다. 리더가 치료 계획을 팀원에게 알리면, 팀원들은 각자의 역할을 고민하고 상호 협력할 방법을 스스로 찾을 수 있다.

☞ 해야 할 것

지속적인 심폐소생술과 치료를 함에도 불구하고 환자가 자발박동이 돌아오지 않는다면 팀리더는 팀원들에게 진행되었던 검사나 치료에 대해 요약 정리를 해서 알리며, 추가적인 검사나 치료가 빠진 것이 없는 지 물을 수 있다(예: 지금까지 에피네프린을 몇 번 주었고, 제세동을 몇 번 시행하였습니다. 아직 자발박동이 돌아오지 않는데 혹시 검사나 치료에서 생각해야 할 다른 점들이 있을까요?).

5) 소생술 후 디브리핑(Debriefing)

디브리핑의 정의는 사전적으로는 작전이나 임무가 끝난 뒤에 결과와 상황을 보고하는 것으로, 소생술 후 소생팀이 환자의 상태에 대한 이해를 높이고 치료 과정을 수정하는 것이다. 즉, 소생술 후에 팀원들 사이에 이루어지는 미래 지향적이며 발전적인 구조화된 대화이다. 즉, 소생팀의 일원으로서 소생술을 수행함에 있어 예상하지 못한 팀워크의 부족함에 대해 되돌아보는 유기적인 소통과정이다. 대화를 통해 팀원 모두의 경험을 나누고, 잘된 행위를 반영하며 팀워크의 장점과 어려움을 식별하여 더 좋은 성과를 이끌어 낼 수 있다.

2020 미국심장협회 가이드라인에서는 소생술 후 매번 디브리핑을 하는 것은 많은 비용과 시간이 소요되는 과정이기에 구체적 근거가 더 필요하다고 기술하고 있다. 즉 이러한 디브리핑이 환자의 양호한 신경학적 생존을 증가시킨다는 근거는 약한 수준이지만 임상 현장에 적절히 운용한다면 치료 과정에서의 빈틈을 최소화할 수 있을 것이다. 또한 팀원 개개인의 능력 배양과 소생술의 질 향상을 얻을 수 있을 것이다.

2 효율적이며 성공적인 소생팀의 의사소통

1) 역할

(1) 명확한 역할과 책임(Knowing roles and responsibilities)

소생팀의 모든 팀원들은 자신의 역할과 책임을 분명하게 인식하고 있어야 한다. 효율적이며 성공적인 팀에서 팀원의 역할은 매우 중요하다. 팀 리더는 효율적인 팀 운영을 위해 각자의 업무 역할을 분명하게 정해주며, 팀원 또한 적극적으로 참여해야 한다. 무엇보다 팀 리더는 팀원들이 적극적으로 참여할 수 있도록 안정된 분위기를 만들어주어야 한다.

☞ 해야 할 것

리더는 모든 팀원의 역할을 임상 상황에 맞게 분명히 부여한다.

팀원은 자신의 경험이나 능숙함 정도에 따라 부여받은 업무를 명확히 수행한다. 자신의 수준을 벗어난 업무나 역할에 대해서는 새로운 업무와 역할을 요구해야 한다.

(2) 나의 한계를 알기(Knowing your limitation)

팀원은 자신의 한계와 능력을 알고 있어야 하며, 팀 리더도 파악하고 있어야 한다. 자원을 파악해 놓으면 필요시 백업을 가능하게 한다. 효율적이며 성공적인 소생팀은 도움이 필요할 수 있는 상황을 예측하고 팀 리더에게 알려야 한다. 도움이 필요하다면 가능한 빨리 도움 요청을 해야 한다. 그렇지 않으면 환자의 상태가 나빠질 수 있다.

☞ 해야 할 것

"가슴 압박을 계속 하기 매우 힘듭니다. 이번 주기 후에 바꿔주시겠어요?" 리더와 팀원은 환자가 나빠지기 전에 가능한 빨리 도움을 요청한다. 또한 초기 치료에도 불구하고 환자의 상태가 나빠진다면 좀 더 경험 있는 선배에게 도움을 받아야만 한다.

(3) 건설적인 중재(Constructive intervention)

소생술 중에 부적절한 조치가 있는 경우 팀 리더와 팀원들은 재치있게 건설적인 개입을 해야 한다. 비난하거나 재촉하는 경우 서로 간 스트레스를 유발할 수 있으므로 상대를 존중하는 표현으로 도움을 제안한다.

☞ 해야 할 것

"지금 가슴 압박의 속도가 너무 느립니다. 속도를 분당 100-120회로 맞추어 주세요"
리더는 우선 순위가 높은 것을 먼저 하도록 요청하며, 팀원은 자신감 있고 존중하는 언어로 대체 약물 혹은 용량을 제안한다.

2) 의사소통 내용

(1) 지식과 상황 공유(Knowledge sharing)

효과적이며 성공적인 팀에서 지식과 상황의 공유는 매우 중요하다. 소생술 중에 환자의 상태가 변화되면 팀원에게 알려야 한다. 치료와 환자의 반응, 일차적인 치료의 효과가 없다면 우리가 놓치고 있는 것이 무엇인지, 다음 치료는 어떻게 진행해야 좋을지를 논의해야 한다.

☞ 해야 할 것

"B 선생님, 지금까지의 진행사항에 대해 말해 주세요"
"심폐소생술 시작한지 5분이 되었고, 심폐소생술 하는 동안 제세동 1회, 에피네프린이 1회 정맥주사 되었습니다"

"감사합니다. 우리가 지금까지 시도한 치료 이외에 더 할 수 있는 치료 및 처치가 있을까요?"

리더는 정보를 공유하는 분위기를 만들고 다음 단계의 중재가 불명확하다면 감별진단에 대한 좋은 아이디어를 팀원에게 제안하도록 요청한다.

팀원은 자신들의 지식과 상황을 공유한다.

(2) 요약 및 재평가(Summarizing and reevaluation)

팀 리더의 필수적인 역할은 환자의 상태, 시행된 중재, 평가 결과 등 환자에 대한 정보를 요약해서 팀원들에게 알려주는 것이다. 다음 단계에서 할 일도 미리 알려줘야 한다. 치료가 진행되면서 환자의 상태도 달라질 수 있으며 초기 감별 진단과 치료도 변경될 수 있음을 인지하고 있어야 한다. 기록을 담당하는 팀원에게도 정보를 요약해서 말해달라고 요청한다.

☞ 해야 할 것

리더는 감별진단에 대해 지속적인 주의를 기울이며, 치료와 환자의 반응을 지속적으로 검토한다.

리더와 팀원은 환자의 상태와 활력 징후의 변화를 지속적으로 모니터링 한다.

3) 의사소통 방법

(1) 순환형 의사소통(Closed-loop communications)

응급상황에서 효율적이며 성공적인 소생팀이 되기 위해서는 순환형 의사소통이 중요하다. 팀 리더나 팀원 등이 대화를 시작하면, 상대방은 눈을 맞추고 내용이 맞는지 복창을 한다. 팀 리더와 팀원은 내용이 맞는지 재확인한다.

☞ 해야 할 것

팀 리더는 "IV가 확보되어, 에피네프린 1 mg 투여했습니다"와 같이 작업이 완료되었음을 구두로 확인받은 후 다른 작업을 지시하며, 팀원은 지시나 작업을 시작하고 끝냈음을 팀 리더에게 알려야 한다.

(2) 명확한 메시지(Clear Messages)

응급상황에서는 절제된 어조와 간결한 표현으로 명확하게 의사소통을 해야 한다. 소리를 치거나 명확하지 않은 의사소통은 치료를 지연시키고 약물 오류를 범할 수 있다.

☞ 해야 할 것

리더는 팀원들에게 분명하게 말하도록 격려하고 팀원은 받은 약물 지시를 말로 반복하고 조금의 의심이라도 있을 경우 질문을 해야 한다.

(3) 상호 존중(Mutual respect)

성공적인 팀은 서로 존중하는 마음을 가지고 있어야 하며 서로 지지적인 관계를 갖는 것이다.

☞ 해야 할 것

리더는 팀원들의 올바른 역할 수행에 대해 잘했음을 칭찬하고 고마움을 표현해야 한다. 또한 리더와 팀원은 목소리의 톤을 조절하여 친절하게 의사소통을 해야 한다.

▶ 참고 문헌

1. 대한 심폐소생협회. 한국전문소생술(KALS). 2015
2. 질병 관리청. 대한심폐소생협회. 2020년 한국심폐소생술 가이드라인
3. American Heart Association. 2020 PALS instructor manual
4. American Heart Association. 2020 PALS provider manual
5. Dagnell AJ. Teamwork and leadership in out-of-hospital cardiac arrest-do these non-technical skills require attention? Australas J Paramedicine 2020; 17. https://doi.org/10.33151/ajp.17.748
6. Gabr AK. The importance of nontechnical skills in leading cardiopulmonary resuscitation teams. J R Coll Physicians Einb 2019; 49:112-116

제 5 장

중증 소아환자의 체계적 평가

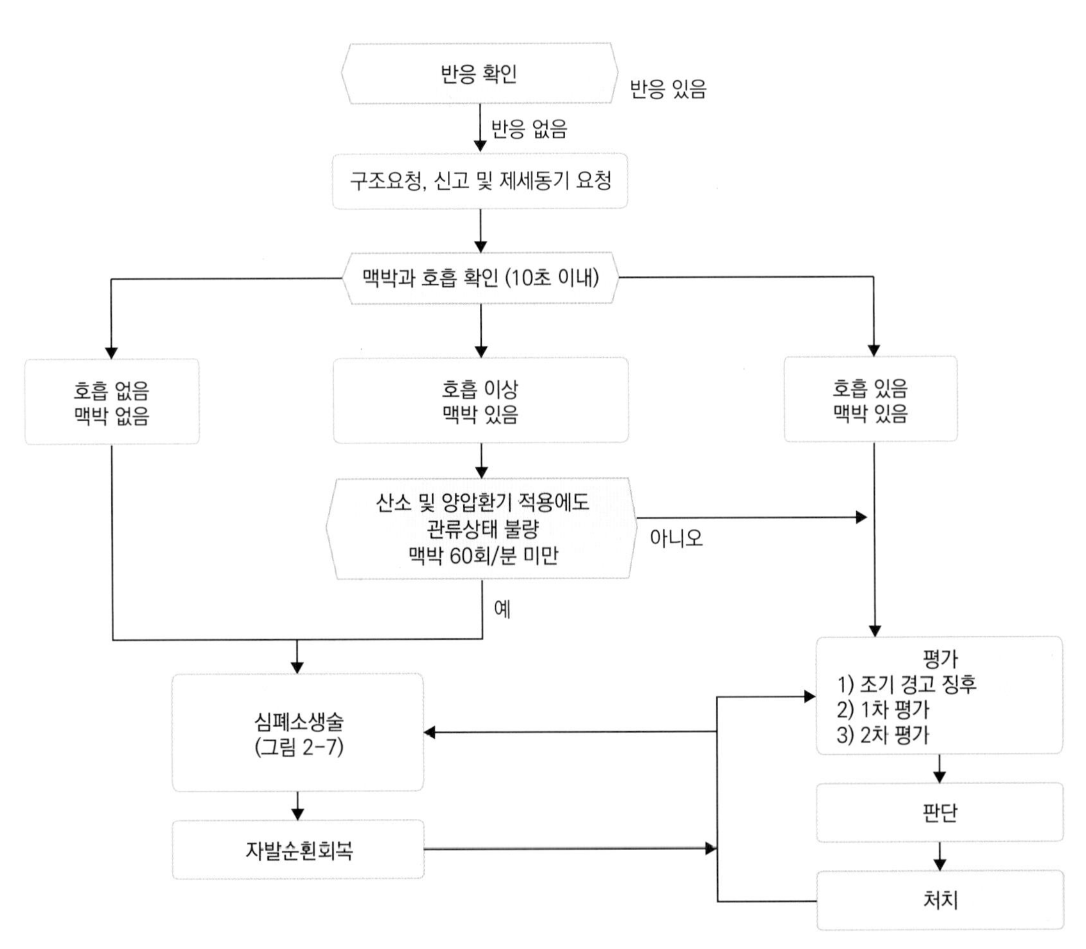

그림 5-1. 중증 소아 환자의 체계적 접근 알고리즘

'중증 소아환자의 체계적 평가'는 평가와 판단 및 처치를 단계적이며 연속적으로 시행하여 호흡 또는 관류부전 상태의 환자를 조기에 감별하여 더 악화되는 것을 방지하여 심정지로 진행하는 것을 예방하기 위한 과정을 말한다. '중증 소아환자의 체계적 평가'는 '평가–판단–처치' 과정으로 이루어져 있으며 '평가'는 조기 경고 징후, 1차 평가, 2차 평가 및 진단 검사를 통한 평가 단계로 이루어지며 매 단계에서 '평가–판단–처치'를 연속적으로 시행해야 한다.

1 평가

1) 조기 경고 징후 3요소

심장정지가 일어날 수 있는 중증 환자를 조기에 인지하여 처치하는 것은 환자의 예후에 매우 중요하다. 호흡 곤란, 호흡 부전, 쇼크 등의 상태는 심폐기능 부전으로 빠르게 진행하여 심장정지가 일어날 수 있어 이를 위해 체계적이고 빠른 초기 평가가 필요하다.

환아를 처음 접하는 순간 수 초에 걸쳐, 환자의 외관(Appearance), 호흡(Work of breathing), 순환(Circulation) 3가지 항목의 상태를 평가자의 시각, 청각적 단서를 이용해 빠르게 평가하여 환자가 즉각적인 치료나 이송이 필요한 상태라는 '조기 경고 징후'가 있는지를 파악한다. 외관, 호흡, 순환 중에 한 가지라도 이상이 있는 경우는 즉각적인 처치가 필요한 중증환자로 판단할 수 있으며, 이 때는 즉시 주변에 도움을 요청하거나 응급대응팀을 호출한다. 조기 경고 징후를 파악하는 3가지 항목을 Pediatric Assessment Triangle (PAT) 이라 한다.

KEY

- **조기 경고 징후 평가의 도구 PAT (pediatric assessment triangle)**

  Appearance, **B**reathing, **C**irculation (colour) 중 한 가지 이상의 소견이 보일 경우 즉각적인 조치가 필요하다.

외관 평가에서는 환자의 의식상태를 파악하며 근긴장도나 자극에 대한 반응을 확인한다. 호흡에서는 환자의 호흡 유무, 호흡을 힘들게 하고 있는지, 호흡 노력이 감소하였는지 등을 평가한다. 청진을 하지 않음에도 이상 호흡음이 들리는 경우도 있다. 순환은 환자 피부의 혈액순환 상태를 주로 평가하며 창백하거나 말초 청색증, 반점(mottling)이 있는지를 확인한다.

Pediatric Assessment Triangle (PAT)를 통해서 환자의 악화 원인에 대한 추정진단(impression)을 얻을 수 있다. 쇼크 환자의 경우 순환 혹은 순환과 외관의 동반 이상 소견이 있는 경우 의심할 수 있다. 외관 중 의식만 이상이 있는 경우 뇌신경 손상이나 대사 이상을 의심할 수 있다. 호흡 이상 혹은 호흡 이상에 외관 이상이 동반된 경우 호흡 부전을 의심할 수 있으며 3가지가 모두 이상이 동반된 경우 심폐호흡부전을 의심할 수 있다. 그러나 초기 단계에서는 자세한 원인을 평가하는 것 보다는 환자의 중증 응급상태 여부를 평가하는 것을 목표로 한다.

2) 1차 평가 (ABCDE 평가)

환자가 PAT에 이상 소견을 보이는 경우 주변에 도움을 요청한 후 심장정지에 따르는 상황이 아니라면 환자에 대한 추가적인 평가를 시행한다. 이 때 1차적으로 평가해야 될 항목은 **ABCDE**로 요약될 수 있다.

A는 **a**irway (기도)를 의미하며 기도가 확보되는지를 확인한다.

기도 확보의 정도는 3가지로 평가할 수 있는데 정상 기도와 기도 확보 가능 상태, 기도 확보 불가능 상태로 평가할 수 있다. 기도 확보 가능 상태는 자세의 변화나 분비물 흡인 등 간단한 방법으로 폐쇄된 기도가 회복될 수 있는 경우를 의미하며, 기도 확보 불가능 상태는 기도 삽관 등 시술 없이 기도 유지가 불가능한 경우를 의미한다.

기도 확보의 이상을 의심할 수 있는 소견으로는 흡기 노력이 증가하거나, 함몰(retraction)이 동반된 호흡, 흡기 시 천명, 흡입노력이 동반되나 호흡음이 들리지 않는 경우 등이 있다.

B는 **b**reathing을 의미하며 환자의 호흡상태를 확인한다.

호흡상태를 평가하는 항목은 호흡수 및 추세, 호흡 노력(respiratory effort) 여부를 확인하기위해 늑간함몰, 흉골위함몰, 늑골하함몰, 코벌렁임(nasal flaring) 여부를 평가, 흉곽 확장과 공기의 이동, 청진음, 산소포화도 등을 평가한다.

고개를 까딱거리며 호흡(head bobbing)을 하거나 흉곽과 복부가 시소처럼 반대로 움직이며 호흡(seesaw respiration)을 한다면 급격히 호흡 부전이 발생할 가능성이 있다.

청진을 통해 공기의 이동이 감소한 것을 확인하여 증상의 심한 정도를 알 수 있으며, 또한 이상 잡음을 확인하여 호흡 부전의 원인을 파악할 수 있다. 이상 잡음으로는 협착음(stridor), 천명(wheezing), 수포음(crackle) 등이 있다. 협착음은 주로 상부 기도의 협착에 의해 들리며 높은 음조의 소리가 주로 흡기 시에 들리나 호기 시에도 들릴 수 있다. 천명음은 주로 높은 혹은 낮은 음조의 휘파람 소리가 호기에 들리며 하기도 협착에 의해 발생한다. 천식, 세기관지염과 같이 작은 기도에 다양한 정도의 협착이 발생하여 다양한 음조의 소리가 들리기도 한다. 수포음은 머리카락을 비비는 듯한 소리가 흡기 시 들리며 폐 실질의 질환을 의미한다.

C는 **c**irculation을 의미하며 전신 혈액 순환을 확인한다.

연령에 따른 맥박수의 정상 여부, 리듬, 혈압, 말초 및 중심 맥박의 강한 정도, 모세혈관 재충혈

시간, 소변양의 변화 등을 확인한다. 모세혈관 재충혈 시간은 압력을 주었을 때 창백해진 피부가 정상으로 회복되는데 걸리는 시간으로 2초 이내가 정상이다(그림 5-2). 모세혈관 재충혈 시간이 늘어난 경우, 환경 온도가 매우 낮은 상태가 아니라면 쇼크 상태 여부를 확인해 보아야 한다. 이외에도 손, 발과 같은 부위의 피부 변화가 쇼크 상태에서 나타날 수 있다. 손, 발이 차가워지고, 창백해지고, 대리석 모양의 반점이 나타나는 경우 말초 혹은 피부의 혈류 저하를 의미하며 쇼크에 의한 보상 반응인지 평가하여야 한다(그림 5-3).

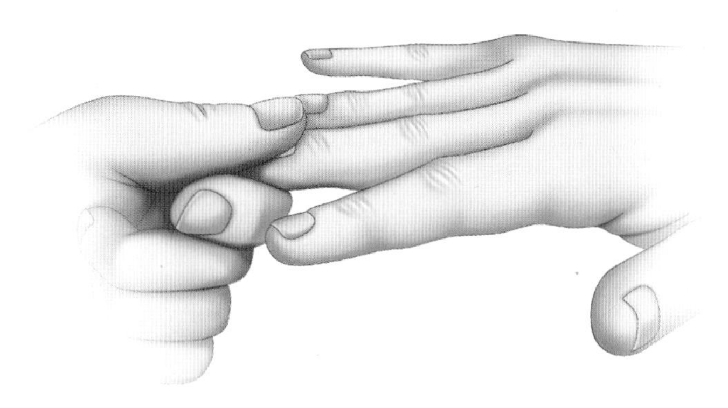

그림 5-2. 모세혈관 재충혈 시간 측정 방법
5초간 환자의 손톱부위를 누르고 손을 뗀다. 환자의 손톱의 흰 부위가 붉은 빛으로 변하는 시간을 측정한다.

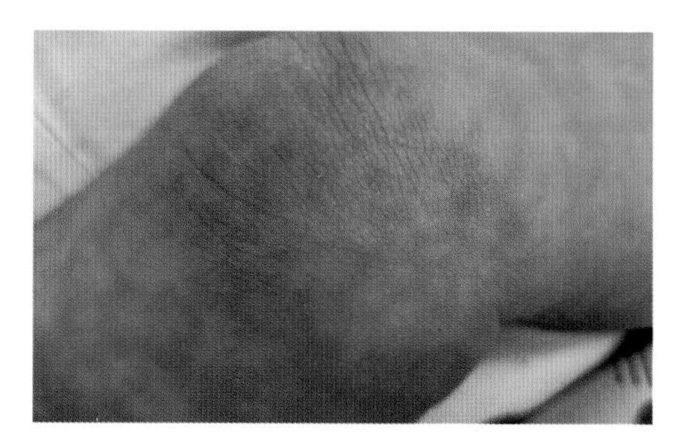

그림 5-3. 피부 반점형성(Skin mottling)

D는 **d**isability를 의미하며 신경학적 이상을 빠르게 평가한다.

의식 상태의 평가를 위해 AVPU를 사용할 수 있으며 A는 awake 상태로 연령에 맞는 적절한 반응을 보이는 경우이며, V는 음성(voice) 자극이 있는 경우에만 반응을 보이는 경우이며, P는 통증(pain) 자극 에만 반응을 보이는 경우, U는 반응이 없는 경우를 말한다. 동공 반사는 뇌간기능의 평가에 유용한 도구이다. 동공반사의 소실은 뇌간 손상을 의심하는 소견으로 동공크기의 차이, 불빛 반사의 대칭 소실은 안구의 손상이나 뇌압의 상승을 의심해 보아야 한다. 이외에 경련의 여부를 평가하고, 저혈당의 가능성에 대해 고려해야 한다.

E는 exposure를 의미하며 환자를 노출하여 평가한다. 얼굴, 몸통, 사지 및 피부를 옷에 가린 부위 없이 관찰하며 외상이나 출혈 여부를 확인한다. 점상출혈이나 반상출혈은 패혈증 쇼크와 동반되어 나타나는 증상일 수 있다. 환자에서 중심 체온을 측정하며 저체온증이나 발열의 여부를 확인하며, 사지와 몸통의 온도 차이가 있는지 확인을 한다.

KEY

- 1차 평가 항목

Airway, Breathing, Circulation, Disability, Exposure를 체계적으로 평가한다.

3) 2차 평가 (병력과 추가 진찰)

1차 평가를 통해 환자의 응급한 문제를 발견하고 1차 조치를 취한다. 이후 환자의 상태에 따라 2차 평가를 진행하며 이는 병력 청취와 추가 진찰로 이어진다. 병력 청취와 추가 진찰은 환자의 현재 증상과 관련이 있거나 호흡 심혈관계 기능 이상을 설명할 수 있는 항목에 중심을 둔다.

(1) 병력 청취

알레르기는 환자의 급격한 호흡 부전 혹은 아나필락시스 쇼크의 원인이 될 수 있다. 환자의 약물, 음식 등에 대한 알레르기 병력을 확인한다.

약물의 복용력은 환자의 상태를 아는 단서가 될 수 있다. 환자의 증상이 약물의 부작용, 과다 복용에 의한 것일 수 있으며 환자의 기저 질환 상태를 예측할 수 있다. 환자의 마지막 복용 시간 및 용량을 확인한다.

과거력은 환자의 중요한 기저 질환 및 문제를 알 수 있으며 환자의 상태 악화에 대한 추측을 가능하게 한다. 기저 질환으로 천식, 만성 폐질환, 선천성 심장병, 부정맥, 경련, 당뇨, 외상 및 수술력 등에 대해 확인한다.

식사는 흡인성 폐렴과 같이 환자의 급성 악화와 관련이 있을 수 있으며, 금식 검사를 위한 공복 시간의 확인 등을 위해 필요한 병력으로 마지막 섭취를 물과 음식을 포함하여 확인한다.

증상 및 징후는 환자의 빌병 시짐에 나타나는 중요한 진단직 단서가 된다. 기침, 발열, 호흡 양상 등과 출혈, 구토, 설사, 통증 등 증상의 시간 경과에 따른 변화를 확인한다.

경과를 파악하여 현재 질환 및 부상 등의 사건이 언제 발생하여 어떤 속도로 진행하였고 어떤 치료를 받았는지 확인한다.

KEY

- 2차 평가 중 병력청취 항목은 "**알약 과식 증상**의 **경과**"를 묻는다.

  알레르기
  약물 복용력
  과거력(기저질환)
  식사 이력 및 관련성
  증상 및 징후
  경과

- 2차 평가의 병력청취 항목을 "**SAMPLE**" 이라는 약자로 기억할 수도 있다.

  S: Sign & symptom
  A: Allergy
  M: Medication history
  P: Past medical history
  L: Last meal
  E: Event

(2) 추가 진찰

진찰은 걱정되는 증상이 있는 영역을 우선적으로 자세히 검사하되 다른 영역을 머리부터 발끝까지 빠르게 진찰한다. 이 때 혈압을 포함한 활력징후의 재 측정이 포함된다.

머리, 눈, 귀 등을 진찰하고 비강 및 구강은 폐쇄나 점막의 상태를 확인한다.

폐의 비정상음을 확인하며 자세에 따른 호흡 곤란을 확인한다.

심장은 잡음이 들리는지 확인하며 말굽 소리(gallop)가 들리는 경우 심부전의 소견일 수 있다.

복부에 통증여부, 복부 팽만, 장음 등을 확인하며 간비대(hepatomegaly)가 있는 경우 우심실부전의 소견일 수 있다.

사지의 부종, 발진, 피부 순환 상태를 확인한다.

환자의 등(back)을 확인한다.

신경학적 진찰에 이상 소견이 없는지 확인한다.

2 판단

1) 즉각적 처치가 필요한 중증 환자

조기 경고 징후 3요소 중 외관에서 반응이 없거나 매우 처져 있으면서 호흡이 없거나 심장정지 호흡만 있거나 순환 평가에서 심박수가 분당 60회 미만이거나 관류 부전의 증거가 있으면 즉각적 처치가 필요한 중증 환자로 판단하여 추가 평가를 위한 과정보다는 즉각적으로 심폐소생술 등의 처치를 시행해야 한다.

2) 판단의 분류

(1) 중증도의 분류

즉각적 처치가 필요한 중증 환자를 제외하면 호흡에 문제가 있는지, 관류에 문제가 있는지 또는 두 가지 모두에 문제가 있는지 등을 판단해야 한다. 또한 호흡에 문제가 있는 경우 호흡 곤란(respiratory distress) 상태인지, 호흡 부전(respiratory failure) 상태인지를 판단해야 하며 관류에 문제가 있는 경우 보상성 쇼크 상태인지, 저혈압성 쇼크 상태인지를 판단해야 한다.

(2) 원인에 따른 분류

호흡에 문제가 있는 경우에는 상부기도 폐색, 하부기도 폐색, 폐실질 질환, 신경-근육에 기인한 호흡조절 장애, 네 가지 중 하나로 분류한다.

관류에 문제가 있는 경우에는 저혈량쇼크, 심인성쇼크, 분배성쇼크, 폐쇄성쇼크, 네 가지 중 하나로 분류한다.

표 5-1. 판단 및 중증의 분류

판단의 분류		중증도의 분류
호흡	상부기도 폐색 하부기도 폐색 폐실질 질환 호흡조절 장애	호흡 곤란 호흡 부전
관류	저혈량쇼크 심인성쇼크 분배성쇼크 폐쇄성쇼크	보상성 쇼크 저혈압성 쇼크
심폐기능 부전		
심장정지		

▶ 참고 문헌

1. American Heart Association. 2020 PALS provider manual
2. Slonim AD, Pollack MM. Pediatric Critical Care Medicine. 1st ed. Lippincott Williams & Wilkins;2006

제 6 장

호흡 부전의 진단과 처치

호흡기계의 문제는 소아 심장정지의 주요 원인이다. 호흡 부전은 호흡기계의 기능 저하로 신진대사의 요구에 맞춰 이산화탄소 제거와 함께 산소를 적절히 공급할 수 없는 상태로 정의한다. 호흡 곤란 또는 호흡 부전 환자들은 다양한 징후를 보이는데, 영유아 및 어린 소아의 경우 빠른 속도로 심장정지로 진행할 수 있다. 따라서 심장정지로 진행하기 전에 호흡 곤란 상태의 소아를 조기에 인지하고 적절한 조치를 취하는 것이 환자의 예후에 중요하며 심장정지도 예방할 수 있다.

1 자발 호흡 조절

자발 호흡은 뇌간의 호흡조절 중추에 의해 조절되며, 호흡일(work of breathing) 증가에 따른 수동적인 호흡은 대뇌 피질에 의해 조절된다. 호흡 신호를 받은 횡격막과 늑간근이 수축하면 흉곽 내 용적이 증가하고 흉곽내 압력이 감소하면서 외부 공기압과의 차이에 의해 공기가 호흡기계 내부로 들어오는 흡기가 이루어진다. 호기는 흡기 시 수축한 근육들이 이완되면서 이루어진다. 편평했던 횡격막은 원래 돔 모양으로 돌아가고 늑간근 이완에 따라 늑골과 흉골이 내려 앉아 흉곽의 용적은 감소한다. 그 결과 흉곽내 압력은 외부 공기압보다 높아지고 압력차에 의해 공기는 바깥으로 배출된다. 호흡의 전반적인 조절은 호흡기계뿐 아니라 심혈관계, 신경 및 근골격계의 조화로 이루어진다. 따라서 호흡 부전은 상기도 폐쇄, 하기도 폐쇄, 폐실질 문제와 호흡 조절 문제로 나누어 생각할 수 있다.

Information 기도 저항과 유순도

1. 기도 저항(Resistance)

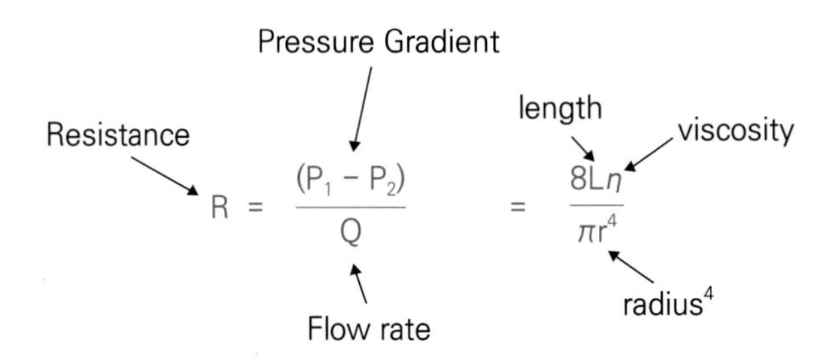

$$R = \frac{(P_1 - P_2)}{Q} = \frac{8L\eta}{\pi r^4}$$

그림 6-1. 기도 저항력 계산

2. 폐 유순도(Compliance)

Compliance=△Volume/△P (mL/cmH_2O)

호흡기계로 유입된 공기가 폐를 확장시키기 위해서는 두가지 물리학적 요소가 고려되야 한다. 호흡기계를 해부학적으로 간단하게 기도와 폐 실질로 나누면 첫번째 기도의 저항력, 두번째 폐실질의 탄성도 또는 유순도를 고려해야 한다.

기도 직경은 기도 저항력을 결정하는 중요한 인자로 공기가 층류(laminar flow)일 때 기도 저항력은 직경의 네 제곱에 반비례한다. 성인에 비해 기도 직경이 작은 소아는 분비물 또는 부종 등에 의해 기도가 조금만 좁아져도 기도 저항력은 상당히 증가하며 이를 극복하기 위해 호흡일이 증가하게 된다. 만약 기류가 난류(turbulent flow)를 형성할 경우 기도 저항력은 그림 6-1의 계산보다 10배 이상 증가하게 된다. 특히 이미 기도 폐쇄가 있는 소아가 울고 보챌 경우 난류가 형성되면서 기도 저항력은 증가할 수 있다. 호기 시 기도 직경은 흡기 시보다 감소하여 기도 저항력이 더욱 증가하는 특징이 있다. 따라서 하기도 폐쇄 환자의 경우 흡기보다 호기 시 많은 호흡일을 필요로하고 충분한 호기 시간이 확보되지 않을 경우 공기 축적에 의해 폐의 과팽창이 유발된다. 또한, 직경이 큰 상기도가 직경이 작은 하나의 하기도보다 저항력은 이론상 더 낮으나, 여러 하기도의 저항력 합은 결국 하나의 상기도 저항력보다 작다. 따라서 주로 기도 저항력은 상기도에 의해 결정되어 상기도 부종이 발생하는 경우 빠른 시간 내에 심한 호흡 부전을 유발할 수 있다.

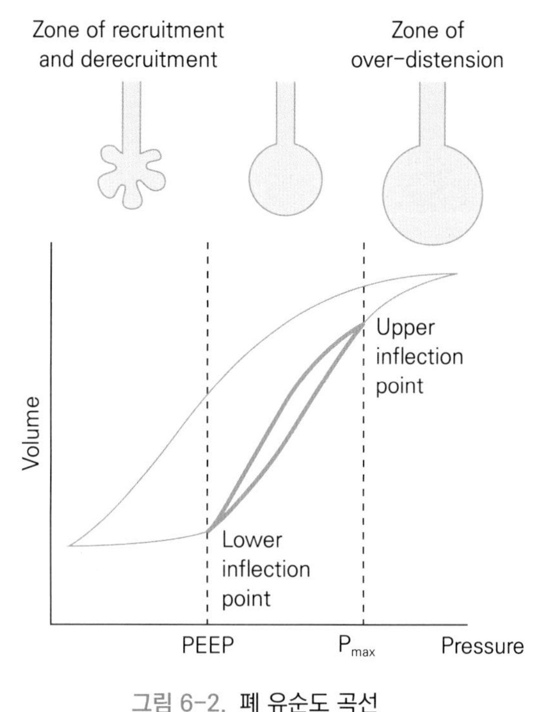

그림 6-2. 폐 유순도 곡선

두번째 폐실질의 탄성도 또는 유순도를 고려해야 한다. 유순도는 폐포내압 증가에 따른 폐의 용적 변화(Compliance=△Volume/△P, mL/cmH_2O)로 폐가 잘 늘어나는 정도를 의미한다. 유순도의 역수는 원래 상태로 되돌아 가고자 하는 탄성도이다. 유순도가 낮은 폐는 딱딱한 폐로 보통 나쁜 폐이며 유순도가 높은 폐는 보통 좋은 폐를 지칭한다. 흡기 초기에 폐포가 닫힌 상태에서는 폐의 유순도가 낮았다가 폐포가 열리면서 점차 유순도가 높아지고 폐가 과팽창 되면 다시 유순도가 낮아진다. 폐 유순도 곡선은 따라서 그림 6-2와 같은 S자 모양을 띤다. 닫힌 폐가 열려야 하는 흡기 과정보다 이미 열린 폐가 닫히는 호기 과정에서 폐 유순도는 더 높아 흡기와 호기 시 서로 다른 유순도 곡선을 보이는 특징이 있다.

2 호흡 부전에 취약한 소아

영유아 및 어린 소아는 호흡기계의 생리학적, 해부학적 차이에 의해 성인보다 호흡 부전에 더 취약하고 더 빠른 속도로 악화되는 특징이 있다. 이와 같은 소아와 성인의 차이를 이해하는 것은 호흡 부전 환자를 평가하고 진단하는데 필수적이다.

1) 대사

평상시 영아는 성인보다 대사율이 2–3배 높고 휴식 상태에서 심혈관 및 호흡기계의 활동성이 높은 편이다. 따라서 산소 소비가 증가하는 심각한 질병 상태에서 영아의 예비 대사량은 성인보다 부족할 수 있다.

2) 호흡 조절

신생아는 호흡 간격이 불규칙하고 때로는 주기적인 호흡을 보이기도 하여 병적인 상황에 따라 잠재적으로 무호흡의 위험이 높고 생명에 위협이 될 수 있다. 또한, 신생아 및 영유아는 고탄산혈증이나 저산소증에 대한 반응이 저하되었고 민감도가 가변적이다. 성인에서는 고이산화탄소혈증에 대한 수용체 반응으로 10–20배 환기 증가를 보이는데 반해, 신생아는 3–4배 정도의 증가만 관찰된다. 저산소증에 대해서도 성인이 지속적인 환기 증가를 보이는데 반해, 신생아는 초기 1–2분간 과도 환기를 보이지만 이후 과소환기 또는 무호흡이 발생하는 이상성 반응을 보인다. 따라서 어린 소아는 성인에 비해 호흡정지 또는 저산소 상태에 빠지기 쉽고, 호흡 조절 기전에 영향을 주는 유해한 자극이나 질병에 취약하다.

3) 상기도 및 하기도

신생아는 상기도의 안지름이 매우 좁고, 후두개가 상대적으로 큰 해부학적 특징으로 인해 주로 비강호흡을 한다. 물론 코막힘이 심하면 신생아와 영아도 구강호흡을 하게 되지만 구강호흡으로 전환이 성인 또는 연장아에 비해 원활하지 않기 때문에 코막힘만으로도 호흡 곤란을 일으킬 수 있다. 또한, 소아의 기도는 성인에 비해 기도 안지름이 절대적으로 작다. 기도 저항은 기도 직경 감소의 4제곱만큼 증가하기 때문에, 성인과 비교하여 가래, 기도 부종 등에 의해 기도 직경이 조금만 줄어도 소아의 기도 저항은 상당히 증가하게 되고 심한 호흡 곤란을 일으키기도 한다.

신생아 및 영아에서 후두의 연골은 충분히 발달되지 않았으며, 기관지 평활근 양이 적고 미숙하여 전체 기도가 유연하다. 그 결과 기도가 주변부 팽창 또는 압박에 취약하여 협착이 잘 생기는 특징이 있다. 예를 들어, 상기도 폐쇄가 있는 경우 강제 흡기 시 흉곽외 기관은 본래의 탄력성을 잃고 동적 폐쇄(dynamic obstruction)가 발생할 수 있다(그림 6–3A). 하기도 폐쇄 시 강제 호기 노력은 흉강 내 압력을 증가시켜 하기도의 동적 폐쇄를 유발할 수 있다(그림 6–3B). 특히 이미 기도 폐쇄가 있는 소아의 경우 울거나 보챌 때 이와 같은 상기도 또는 하기도의 동적 폐쇄는 더욱 쉽게 발생하여 공기의 흐름이 추가로 제한이 된다. 따라서 임상에서는 호흡 곤란이 진행된 소아를 진정시키는 것이 치료의 하나일 수 있으며, 소아에게 두려움이나 공포를 유발할 수 있는 자극이나 처치

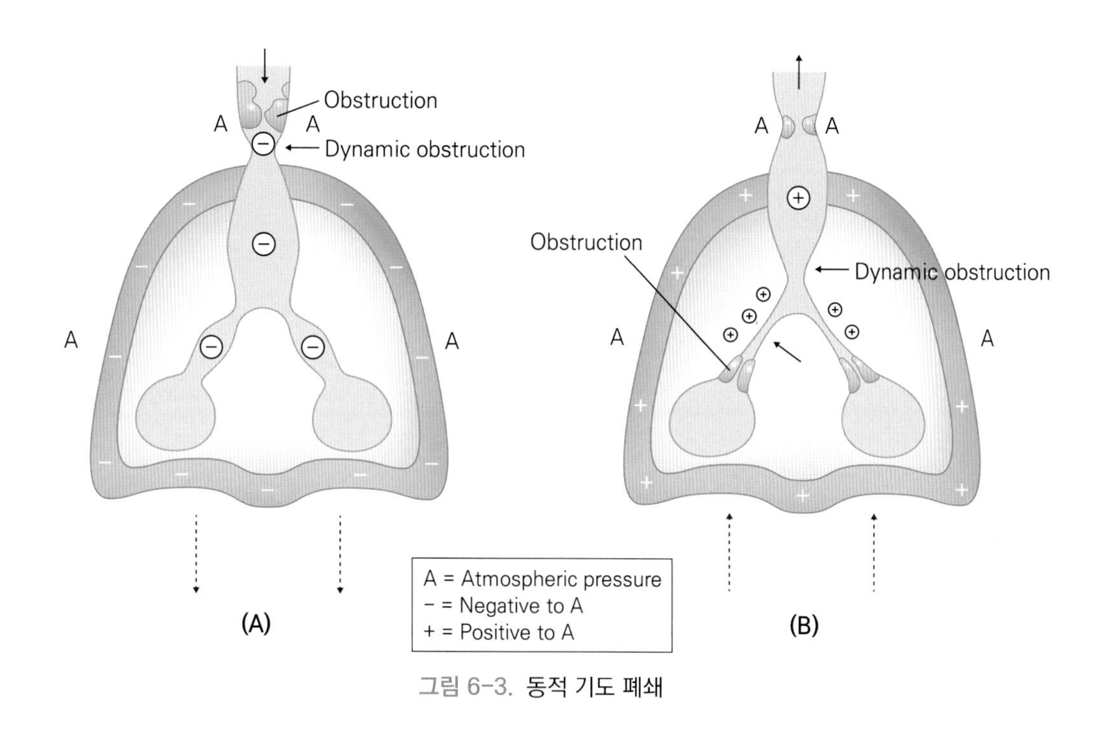

그림 6-3. 동적 기도 폐쇄

에 신중해야 한다.

4) 흉벽

신생아와 영아의 늑골은 유연하며 성인보다 수평으로 위치하였고 늑간 호흡근이 잘 발달되지 않아 호흡 시 흉곽 용적을 증가시키는 양동이 손잡이 모양 움직임(bucket handle motion)이 소실되어 있다. 또한, 어린 소아는 횡격막이 돔 형태가 아닌 거의 수평 형태를 띠어 흡기 동안 횡격막의 수축이 하부 늑골을 흉곽 내부로 이동시키는 경향을 보여 구조적으로 호흡에 불리하다. 소아는 흉벽의 순응도가 높아 호흡 장애가 있는 상태에서 흡기 노력이 폐 확장에 효율적으로 사용되지 못하고 흉벽이 내려 앉는데 소비된다. 흡기 동안 흉벽이 바깥으로 이동하지 못하고 안으로 말려 들어가는 역설적인 움직임은 대부분의 호흡 질환에서 나타나지만, 특히 상기도 폐쇄에서 두드러진다. 또한, 흉벽과 폐의 탄성력이 서로 평형을 이루면서 정적 폐 용적(static lung volume)이 결정 되는데, 흉벽의 탄성력이 떨어지는(또는, 순응도가 높은) 소아는 성인보다 상대적으로 낮은 폐 용적에서 평형에 도달한다(그림 6-4). 만약 횡격막의 불완전한 이완, 빈호흡 등의 상황에서는 기능잔기용량(functional residual capacity)이 더욱 감소한다.

어린 영유아의 경우 늑간 호흡근 및 횡격막이 피로에 잘 견디지 못하는 제 2형 속성 근섬유로

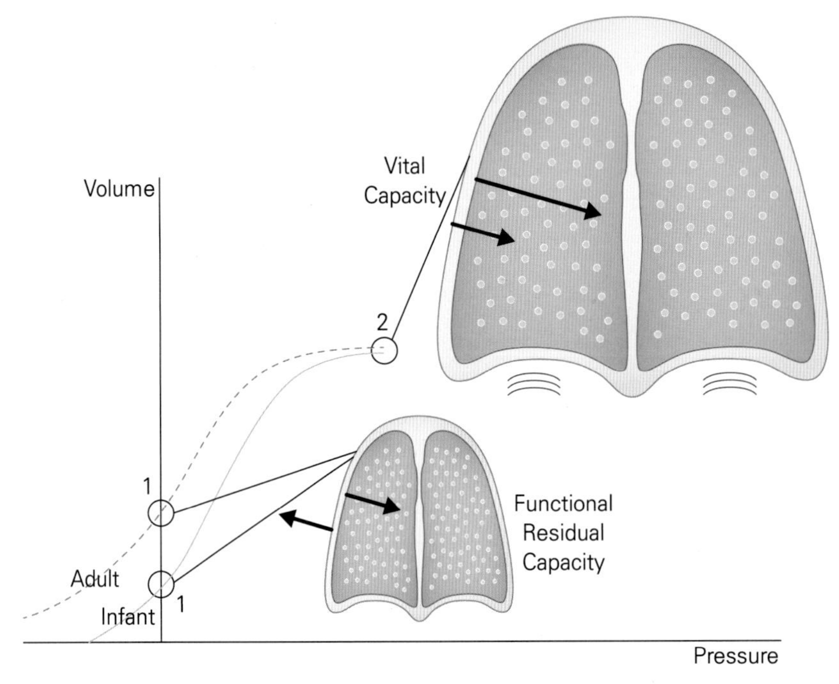

그림 6-4. 성인과 소아의 폐 용적 차이

구성 되어있어 호흡 곤란을 견딜 수 있는 능력이 부족하다. 생후 1년에 걸쳐 근 질량이 증가하고 제 1형 근섬유는 점진적으로 증가하여 성인에 가깝게 변화한다.

5) 폐 실질

어린 영유아는 후기 아동기까지 이어지는 불완전한 폐포화(alveolization)로 인해 체 표면적 대비 가스 교환 면적이 감소 되어있다. 폐포 사이 중격은 전도성 기도를 둘러싸고 탄성조직을 통해 기도가 열린 상태로 유지되도록 하는 기능을 하는데, 출생 초기에는 폐포화가 미숙하여 말초 기도가 쉽게 허탈 될 수 있다. 특히 세기관지염이나 폐부종있는 영아는 말초 기도 붕괴에 더욱 취약하다.

생후 3–4세까지 측부 환기로가 잘 발달하지 않는다. 그 결과 어린 소아는 말초 기도 폐쇄 시 대체 경로가 소실되어 쉽게 무기폐가 올 수 있고 성인보다 더 빠른 속도로 저산소혈증과 고이산화탄소 혈증이 발생하게 된다.

3 호흡 부전의 생리학적 종류와 이해

호흡기계의 궁극적인 역할은 가스 교환이고, 문제가 발생되었을 때는 산소 결핍 또는 이산화탄소의 누적 현상이 나타난다. 저산소 혈증은 동맥혈내 산소분압이 60 mmHg 이하 또는 산소 공급 없이 경피 산소 포화도 94% 미만으로 혈중 산소 농도가 낮은 경우를 일컫는다. 반면 고 이산화탄소 혈증은 동맥혈내 이산화탄소분압 50–55 mmHg 이상으로 정의한다. 하지만 환아의 기저 질환에 따라 산소 포화도 및 이산화탄소 분압의 정상 범위는 개별화할 수 있다. 저산소 혈증은 심한 고 이산화탄소 혈증 없이 단독으로(1형 호흡 부전) 또는 고 이산화탄소 혈증과 함께(2형 호흡 부전) 임상적으로 나타나기도 한다. 이를 더욱 잘 이해하기 위해 산소화와 환기의 생리학적 특징을 이해하는 것이 필요하다.

1) 산소화

흡기 시 산소는 폐포에 도달하여 폐포–모세혈관 간 장벽을 통해 혈액 안으로 빠르게 확산된다. 폐포내 산소분압과 평형을 이룬 동맥혈의 산소는 혈중 용해되거나 헤모글로빈에 결합된 상태로 말단 조직까지 이송된다. 산소는 확산능과 용해도가 이산화탄소보다 떨어지는데, 혈액내 산소는 용해된 상태보다 주로 헤모글로빈에 결합된 상태로 존재하기 때문에 혈중 산소 농도는 무한대로 증가하지 않고 포화상태에 도달한다. 또한, 동맥혈 내 산소 분압은 흡입 산소 분압 이상으로 상승하지 못한다. 결과적으로 산소는 폐환기와 관류의 균형(Ventilation–perfusion matching, VQ matching)의 영향을 많이 받는 특징이 있다. 따라서 혈중 산소 농도 및 산소 분압 증가에 상한선이 있기 때문에, 분당 환기량을 증가시키더라도 환기–관류가 저하된 곳의 저산소증을 온전히 보상하여 호전시키는데 한계가 있다.

생리학적으로 산소화를 저해하는 원인은 흡기 산소 부족, 폐포 저환기, 확산장애(diffusion detect), 환기–관뉴 불균형(V/Q mismatching), 단락(shunt)이 있다. 급성호흡 부전을 보이는 소아에서 저산소혈증은 주로 환기–관류 불균형에 의해 발생하며 폐렴, 무기폐, 급성호흡곤란증후군 등이 원인이다. 이러한 경우 산소를 공급하거나 양압환기를 적용하여 환기–관류를 호전시키는 것이 산소화에 도움이 된다. 한편, 폐포 관류는 양호하나 환기가 전혀 이뤄지지 않는 환기–관류 불균형의 극단적인 상황인 단락 상태에서는 산소 공급만으로 저산소혈증이 잘 호전되지 않으며 단락이 심힐수록 산소 공급의 효과는 너욱 떨어진나(그림 6–5). 호흡중추의 이상, 호흡근육 약화, 무호흡 등에 의해 폐포 환기가 감소되면 폐포 내 이산화탄소 분압이 상승한다. 폐포내 과도한 이산화탄소는 산소를 대체하여 폐포와 동맥 혈 산소 분압이 동시에 감소한다. 하지만, 기도 폐쇄에 의한 환기 저하 시 초당 노력 호기량이 15%이상 감소하는 심한 폐쇄가 아닌 경우 고이산화탄소 혈

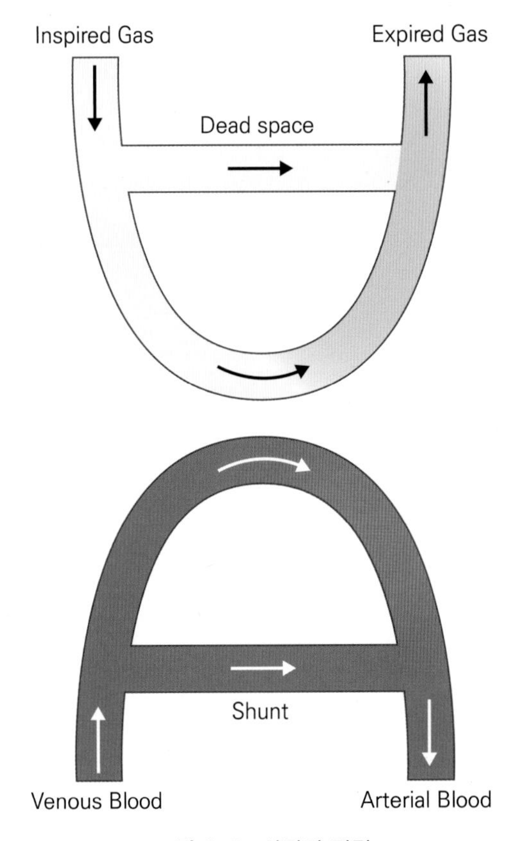

그림 6-5. 사강과 단락

증은 발생하더라도 저산소혈증은 나타나지 않을 수 있다. 또한, 고이산화탄소 혈증에 의한 저산소혈증은 산소 흡입을 증량 함으로써 쉽게 호전될 수 있다.

2) 환기

이산화탄소의 양은 체내 산도(pH)를 결정하는 중요한 요소이다. 이산화탄소는 체내 대사에 의해 생성되고 환기를 통해 제거된다. 이산화탄소는 산소보다 용해도 및 확산능이 더 높으며 혈중 이산화탄소 분압은 폐포의 분당 환기량이 증가함에 따라 한없이 감소할 수 있다. 분당 환기량은 호흡수와 폐포 일회 호흡량의 곱으로, 사강(환기는 잘되나 관류가 전혀 없는 V/Q=∞ 상태)은 가스 교환에 관여하지 않으므로 사강이 증가할 수록 이산화 탄소 제거에 불리하게 된다(그림 6-5). 따라서 주로 일회 호흡량의 감소 또는 사강의 증가로 인해 혈중 이산화탄소 분압이 상승할 수 있다. 흔히 소아에서 기도 폐쇄에 의한 폐의 과팽창 시 호기 말 폐 용적은 기능잔기용량 이상으로 증가하는데, 이는 횡격막을 편평하게 하고 호흡근의 근섬유 길이를 짧게 하여 적정한 일회 호흡량을 생성하는데 불리하게 작용하고, 결론적으로 이산화탄소 상승을 유발한다. 또한, 이산화탄소 분압은 산소와 달리 환기-관류 불균형에 영향을 많이 받지 않는다. 환기 관류 불균형에 의해 증가된 이산화탄소는 호흡 중추의 자극에 의해 폐포 분당 환기량을 증가시키고 폐포-관류 균형이 좋은 곳에서 이산화탄소를 보상적으로 제거하기 때문이다.

4 호흡 부전의 진단과 초기 처치

1) 호흡 부전의 일반적 초기 평가와 처치(표 6-1, 2)

호흡 문제가 있는 소아 환자는 초기 평가를 통해 간단한 처치만 필요한 호흡 곤란 상황인지, 호흡 보조가 필요할 정도의 호흡 부전 또는 심장정지에 가까운 상태인지 신속하게 판단해야 한다. 또한, 상기도 폐쇄, 하기도 폐쇄, 폐실질 질환, 호흡 조절의 이상 중에 어떤 유형인지 파악하며, 자세한 원인 파악은 추후에 도모한다. 신속한 초기 평가와 처치는 기도, 호흡, 순환 순서로 시행하며 적절한 산소화와 환기를 유지하는 것이 목적이다. 하지만, 소아에서 고이산화탄소 혈증은 심한 산증이 없는 한 여러 보상 기전을 통해 꽤 견딜만하기 때문에 초기 처치는 주로 저산소혈증의 개선을 목표로 한다.

(1) Airway (기도)

기도 개통성 여부를 확인한다. 상기도 폐쇄가 의심되는 경우 머리기울이고턱들기(Head tilt-chin lift) 또는 턱 밀어올리기(Jaw thrust) 요법을 통해 상기도를 개방한다. 가래, 콧물 등의 분비물이 상기도 폐쇄를 유발한 경우 흡인(suction)을 시행할 수 있다. 또한, 기도내 이물질이 의심되는 경우 빠른 시간내에 기도 이물질 배출법을 시행한다. 구강기도기 또는 비강기도기의 삽입을 통해 기도 개방을 더욱 확보할 수 있다.

(2) Breathing (호흡)

다음으로 자발 호흡 여부를 평가한다. 자발 호흡이 있는 환자는 호흡수, 호흡일, 호흡 능률성 등을 추가로 평가한다. 호흡 곤란 시 빈호흡은 가장 먼저 나타나는 증상 중에 하나이다. 만약 환자가 느린 호흡 또는 불규칙한 호흡 양상을 보일 경우 이는 조만간 심폐부전이 발생할 수 있다는 징조이므로 주의해야한다. 따라서 환자의 호흡수가 정상화된다 하여도 호전되었다기 보다 호흡 피로가 증가하여 호흡 곤란이 악화되고 있을 수 있다. 이러한 경우 의식 저하를 흔히 동반하기도 한

표 6-1. 호흡 곤란 환자의 초기 평가 및 처치

평가 항목	초기 처치	주의 사항
Airway (기도)	기도 개통성 확인 및 기도 개방	
	머리기울이고턱들기(Head tilt-chin lift) 또는 턱 밀어올리기(Jaw thrust) 요법	경추 손상이 의심되는 환자는 턱 밀어올리기 요법 시행
	기관 분비물 흡입	기도 폐쇄가 진행된 환자에서 분비물 흡입에 의해 보채거나 불안이 증가될 경우 호흡 곤란이 악화될 수 있음.
	기도 이물 배출법(등 두드리기, 복부 밀어내기)	1세 미만 등 두드리기, 1세 이상 복부 밀어내기 발성과 기침이 없고 호흡 곤란이 심한경우 시도
	구강기도기 또는 비강기도기	의식이 있는 환자에서 구강기도기는 구역반사를 유발하므로 비강기도기를 권장
Breathing (호흡)	호흡 수 및 자발 호흡 여부 확인	
	산소포화도 모니터링	
	산소 공급	목표 산소 포화도 92-94% 이상
	백-마스크 환기	자발 호흡이 없거나 효율적이지 못한 경우 고려
	성문위 기도기 삽입 또는 기관내관 삽관	지속적인 백-마스크 환기가 필요한 경우 또는 안정적인 인공 호흡이 필요한 경우 고려 능숙한 전문가가 시행 상기도 폐쇄 시 기관 내관은 0.5-1.0 mm 작은 사이즈 선택
	약물 흡입	상기도 폐쇄 시 에피네프린, 하기도 폐쇄 시 살부타몰 약제 분무
Circulation (순환)	심박수, 심전도, 혈압 모니터링	
	의식 수준	

표 6-2. 호흡 부전의 중증도에 따른 단계별 임상 양상

	호흡 곤란 →	호흡 부전 →	심장정지
호흡 수	빈호흡	정상 또는 느린 호흡	무호흡
호흡 일	증가	감소	무호흡
맥박수	빈맥		서맥 또는 무맥
의식	보챔, 불안	쳐짐	의식 소실

다. 흉곽 함몰, 콧구멍 벌림, 호흡 보조근 사용 등을 보이면 호흡 부전으로 호흡일이 증가되었다고 평가한다. 목 주변의 근육이 잘 발달하지 못한 영아의 경우 목과 어깨의 근육을 과도하게 사용하면 고개 끄덕임(head bobbing)증상이 보이게 되며 호흡 곤란으로 진행할 수 있으므로 주의 깊게 모니터 해야 한다. 하지만, 심폐부전에 가까워지는 상황에서는 호흡피로에 의해 호흡일은 점차 감소하여 결국 무호흡에 이른다. 호흡과 관련된 증상은 호흡 부전의 유형과 함께 생각해야 한다.

호흡 곤란이 보이는 환자들은 우선 산소포화도 모니터링과 산소 공급을 시작하고 포화도가 92–94% 이상 유지되도록 한다. 자발호흡이 없거나 효율적이지 못한 경우 응급상황에서 개방된 상기도를 통해 백–마스크 환기를 시도할 수 있다. 병원 내 상황에 따라 성문위 기도기 삽입을 통해 기도 개방과 함께 인공호흡을 좀더 효율적으로 도모할 수 있으며, 필요시 기관내삽관을 시도할 수 있다. 하지만, 소아의 기관내삽관에 능숙한 전문가가 시도해야 한다. 환자가 자발 호흡이 있을 경우 산소 공급은 비강 캐뉼라, 산소 마스크, 고유량 비강 캐뉼라 등을 고려하고, 환자의 나이와 체구에 맞게 장치를 잘 골라야한다. 또한, 호흡 곤란 유형에 따라 상기도 폐쇄의 경우 에피네프린, 하기도 폐쇄의 경우 살부타몰 약제의 분무(nebulizer)를 시도할 수 있다. 약제 용량이 너무 적지 않은지 꼭 확인해야 하고 필요시 약제 분무를 반복할 수 있다.

(3) Circulation (순환)

순환 평가를 위해 심박수, 심전도, 혈압에 대한 모니터링을 시작한다. 호흡 곤란에 의한 저산소혈증 시 심박출량 상승으로 혈중 산소 공급량을 늘리기 위해 빈맥이 발생한다. 소아의 심박출량은 일회 심박출량을 증가시키기보다 심박동수 증가에 의존적인 편이다. 하지만, 서맥을 보이는 경우 호흡 곤란이 진행하여 곧 심폐부전에 이를 수 있다는 징후이므로 주의해야한다. 더불어 다른 장기에 미치는 영향을 추가로 평가한다. 특히 의식 수준은 초기 호흡 상태를 평가하는 유용한 지표 중 하나이다. 저산소증 또는 고이산화탄소 혈증의 초반에는 보채거나 불안증상을 보이다가 점자 심폐부전으로 진행하는 경우 의식을 소실하게 된다.

(4) 기타

환자 상태에 따라 혈액 검사 및 영상 검사를 추가하여 정확한 평가와 처치를 계획할 수 있다. 호흡 부전의 진행 초기에는 호흡수 증가에 따라 분당 호흡량이 유지되어 비교적 이산화탄소 수치는 높지 않게 유지되며 오히려 감소할 수 있다. 저산소혈증이 지속 시 보상 기전에 따라 혈중 산소농도는 지속되다가 특정 시점을 넘어서면 급속히 고이산화탄소혈증과 저산소혈증이 진행하고 심장정지에 이르게 된다.

2) 호흡 부전의 유형별 진단과 처치(표 6-3)

호흡 부전이 이미 심각하게 진행된 상황에는 증상이 비특이적이지만, 호흡 곤란의 초기에는 임상 징후를 통해 원인이 될 만한 해부학적 위치를 의심하고 국한할 수 있다. 물론, 호흡 곤란은 하나의 원인에 의해 발생한다기보다 여러 문제가 혼재된 결과일 수 있다. 하지만, 상기도 폐쇄, 하기도 폐쇄, 폐실질 질환, 호흡 조절의 이상은 대부분 명확하게 구별되는 증상으로 나타나므로 병력과 임상징후에 따라 가능한 원인을 구분하여 평가하는 것이 효과적인 치료에 도움이 된다.

표 6-3. 호흡 부전의 유형 및 원인 질환

호흡 부전의 유형	원인 질환
상기도 폐쇄	이물질 흡인 편도 비대 후두 부종(아나필락시스) 크루프 콧물, 기도 분비물 증가 코막힘
하기도 폐쇄	세기관지염 천식
폐실질 질환	폐렴 폐부종 폐 침윤성 질환 무기폐
호흡 조절 이상	신경 근육 질환 중추 신경계 이상(뇌압 상승, 뇌종양, 뇌염, 경련) 약물 과다 복용 또는 부작용 선천성 중추성 저환기증후군

(1) 상기도 폐쇄

코, 인두, 후두에 이르는 상기도가 폐쇄되는 상황으로 주로 이물질 흡인, 편도 비대, 아나필락시스에 의한 후두 부종, 크루프 등의 질환에 의해 발생하며, 분비물 증가에 의해서도 발생할 수 있다. 상기도 폐쇄 시 특징적으로 흡기 시 협착음(stridor)이 들린다. 상기도 폐쇄가 상당히 진행하면, 호기 시 협착음과 함께 복부 근육 등과 같은 호기 근육을 함께 사용하여 힘든 호기(forced expiration)양상을 보인다. 초기 평가 및 처치는 일반적인 호흡 곤란과 비슷하다. 상기도 폐쇄 시에도 코, 구강 분비물 흡인은 기도 개방에 도움이 될 수 있으나, 이로 인해 환자가 심하게 보챌 경우 상기도 폐쇄는 더욱 진행할 수 있으므로 주의가 필요하다. 또한, 상기도 폐쇄가 의심되는 환자는 기관내삽관 시 반드시 소아 기관내삽관이 익숙한 전문가에 의해 시행되어야 하며 기관 내관은 환아 키 또는 나이 대비하여 0.5 내지 1.0 mm 작은 내관을 선택하도록 한다. 여러 갈래로 갈라지는 하기도와 달리 상기도는 한개의 길뿐이므로 부분 폐쇄도 심각한 호흡 곤란에 이를 수 있고 완전 폐쇄 시 심장정지에 이를 수 있다. 따라서 상기도 폐쇄가 의심될 때 의료진은 긴장하고 조기에 전문가의 협진을 구해야 한다.

① 크루프

흡기 시 협착음과 함께 특징적인 기침소리(barking cough), 쉰 목소리(horseness) 등의 임상 양상을 보인다. 일반적으로 해열제, 수분 섭취, 습도 조절 등의 대증적 치료를 하고 크루프의 중증도(표 6-4)에 따라 에피네프린 흡입 치료와 덱사메타손 경구 투약, 정맥 또는 근육 주사를 고려한다. 호흡 부전이 임박한 상태에는 산소 공급과 호흡 보조를 할 수 있다. 기관내삽관 시 갑작스러운 상기도 협착 가능성이 있으므로 모든 응급상황에 대한 준비가 되어 있는 상태에서 전문가에 의해 술기를 시행하며, 이비인후과 의사 또는 마취과 의사의 협진이 필요하다.

표 6-4. 크루프의 중증도 평가 및 치료 (Westley croup severity score)

점수	중증도	치료
≤2	경도	덱사메타손 1회 경구 투약(0.15-0.6 mg/kg) 또는 프레드니솔론 1회 경구 투약(1 mg/kg)
3-7	중등도	덱사메타손 1회 경구 투약(0.6 mg/kg, 최대 16 mg) 에피네프린 분무(L-epinephrine 0.5 mL/kg/dose, 최대 5 mL: 1 mg/mL 1:1000)
8 to 11	중증	덱사메타손 1회 경구, 정맥 주사 또는 근내 주사(0.6 mg/kg, 최대 16 mg) 에피네프린 분무 : 필요에 따라 반복 고려(L-cpincphrinc 0.5 mL/kg/do3e, 최대 5 mL: 1 mg/mL 1:1000)
≥12	호흡 부전 임박 상태	덱사메타손 1회 정맥 또는 근내 주사(0.6 mg/kg, 최대 16 mg) 에피네프린 반복 분무 소아 중환자실 입원 치료 기관내삽관 시 갑작스러운 상기도 협착이 발생할 수 있으므로 모든 준비가 철저히 된 상태에서 시행(응급 상황 시 윤상갑상연골절개 또는 기관절개술을 시행할 수 있으므로 이비인후과 의사에 협진 필요함)

크루프 중증도 점수는 다음의 5가지 항목의 합으로 계산함
의식 상태(정상/수면 중=0, 지남력 장애=5)
청색증(없음=0, 불안 시=4, 안정 시=5)
협착음(없음=0, 불안 시=1, 안정 시=2)
공기 흐름(정상=0, 감소=1, 심각하게 감소=2)
흉부 함몰(없음=0, 경도=1, 중등도=2, 중증=3)

② 아나필락시스에 의한 후두부종

에피네프린을 근육내 주사하고 필요시 10-15분마다 추가 투약을 한다. 기관지 경련에 의해 천명음(wheezing)이 함께 들릴 경우 살부타몰을 1회 또는 지속적으로 분무한다. 다이펜하이드라민(dipehnhydramine)과 H2 수용체 길항제, 스테로이드 등을 투약할 수 있다. 아나필락시스에 의해 저혈압이 동반된 경우 쇼크 치료를 병행한다.

③ 이물질 흡인

이물질 흡인이 되어도 환아가 목소리를 낼 수 있고 기침을 하는 등 부분 폐쇄가 의심되는 경우에는 특별한 응급조치를 취하지 않는다. 하지만, 소리가 나지 않고 기침도 없으며 숨을 쉴 수 없는 전체 폐쇄가 의심되는 경우 반드시 연령에 맞는 처치를 해야 한다. 모든 소아에서 5회 등을 두드리며 1세 이상의 경우 복부를 압박하여 이물질 배출을 시도한다. 눈으로 보이지 않는 상태에서 손을 입에 넣어 이물질을 빼내는 일은 이물질을 더 깊게 밀어 넣을 수 있으므로 피해야한다. 또한, 이물질 흡인이 의심되는 상태에서 기관내삽관을 할 경우 이물질이 육안적으로 보이지 않는지 면밀히 관찰할 필요가 있다. 만약 기도 이물 배출법 중에 환아가 의식이 소실되는 경우 바로 가슴 압박과 함께 심폐소생술을 시작한다.

(2) 하기도폐쇄

흉곽내에 있는 하부 기관, 기관지, 세기관지 등에 폐쇄가 발생하는 질환을 포함한다. 소아에서는 주로 천식과 세기관지염이 해당된다. 특징적으로 호기 시 천명음(wheezing)이 들릴 수 있으며 호기 시간이 연장되고 노력 호기 양상을 보이는 등 호흡 곤란이 주로 호기 시 뚜렷하다. 하기도 폐쇄 질환에서 호기 시 좁아진 기관지를 통해 공기가 모두 빠져나오지 못하고 쌓이면 폐는 과팽창이 된다. 과팽창 시 흡기와 함께 하부 늑골이 바깥으로 뻗지 못하고 안쪽으로 말려들어가는 호흡 양상(후버 징후)을 보일 수 있다.

하기도 폐쇄 질환은 폐내 공기의 배출이 원활하지 않아 과팽창이 잘 발생하고, 높은 기도압이 형성되므로 기흉의 위험이 높아진다. 또한, 흉강 내압 상승으로 정맥혈 순환이 감소하고 심박출량이 떨어질 수 있어 적절한 혈관내 용적을 유지해야 한다. 하기도 폐쇄 질환에서 호흡 보조 시 쌓인 공기가 잘 배출될 수 있도록, 적은 호흡수와 함께 긴 호기 시간을 보장하도록 해야 한다. 위 팽창 시 횡격막 움직임을 더욱 방해할 수 있으므로 위의 과팽창에 주의해야한다.

① 세기관지염

세기관지염에서 기관지확장제의 흡입과 스테로이드의 사용이 꼭 권장되지는 않는다. 하지만, 환자에 따라 치료에 도움이 될 수는 있다. 호흡 곤란이 있거나 산소 포화도가 94% 이하로 확인되는 환자의 경우 산소 치료를 하며, 영유아의 세기관지염에서 고유량 비강 캐뉼라를 통한 산소 공급이 호흡에 도움이 된다. 고유량 비강 캐뉼라는 몸무게당 1–3 L/kg를 공급하며 몸무게에 맞는 캐뉼라 사이즈를 선택해야한다.

② 천식

기침, 호흡 곤란, 천명 및 가슴답답함과 같은 천식의 증상이 급속도로 악화되는 급성 천식 악화(또는 천식 발작) 시에는 신체 검진과 검사 결과를 바탕으로 천식의 중증도를 분류하고 그에 따라 치료를 시작한다. 5세 이하 소아의 천식 급성 악화의 중증도 평가는 표 6–5를 참고한다. 응급의료 기관에서 급성 천식 악화 진료 지침은 그림 6–6과 같다.

표 6–5. 5세이하 소아에서 천식 급성 악화의 초기 평가

증상	경증	중증*
의식변화	없음	불안, 혼수 또는 졸림
산소포화도**	>95%	<92%
언어구사†	문장	단어
맥박	<100회/분	>200회/분(0–3세)
		>180회/분(4–5세)
중심 청색증	없음	나타날 수 있음
천명음의 강도	다양	들리지 않을 수 있음

* 어느 것 하나라도 나타나면 중증 천식 악화를 의미
** 산소나 기관지확장제 투여 전 산소포화도
† 아이의 정상 발달 단계를 고려하여 평가

(3) 폐실질 질환

말단 폐 조직에 병적 소견을 보이는 많은 질병들을 포함한다. 폐렴, 폐부종, 폐 침윤성 질환, 무기폐 등이 있다. 소아의 끙끙거리는 소리(grunting sound)는 호기말 양압을 높이기 위해 조기에 성문이 닫히면서 나는 소리로 폐포의 협착을 막기 위한 보상 기전 중에 하나이나. 이와 같은 소리는 폐실질 질환에서 심한 호흡 곤란이 발생할 때 관찰되는 증상이다.

폐실질 질환은 환기–관류 불균형을 유발하여 주로 산소화에 영향을 준다. 산소화의 개선을 위해 고농도의 산소를 요할 경우 단순히 산소만 공급하는 것보다 양압 환기를 하는 것이 도움이 된

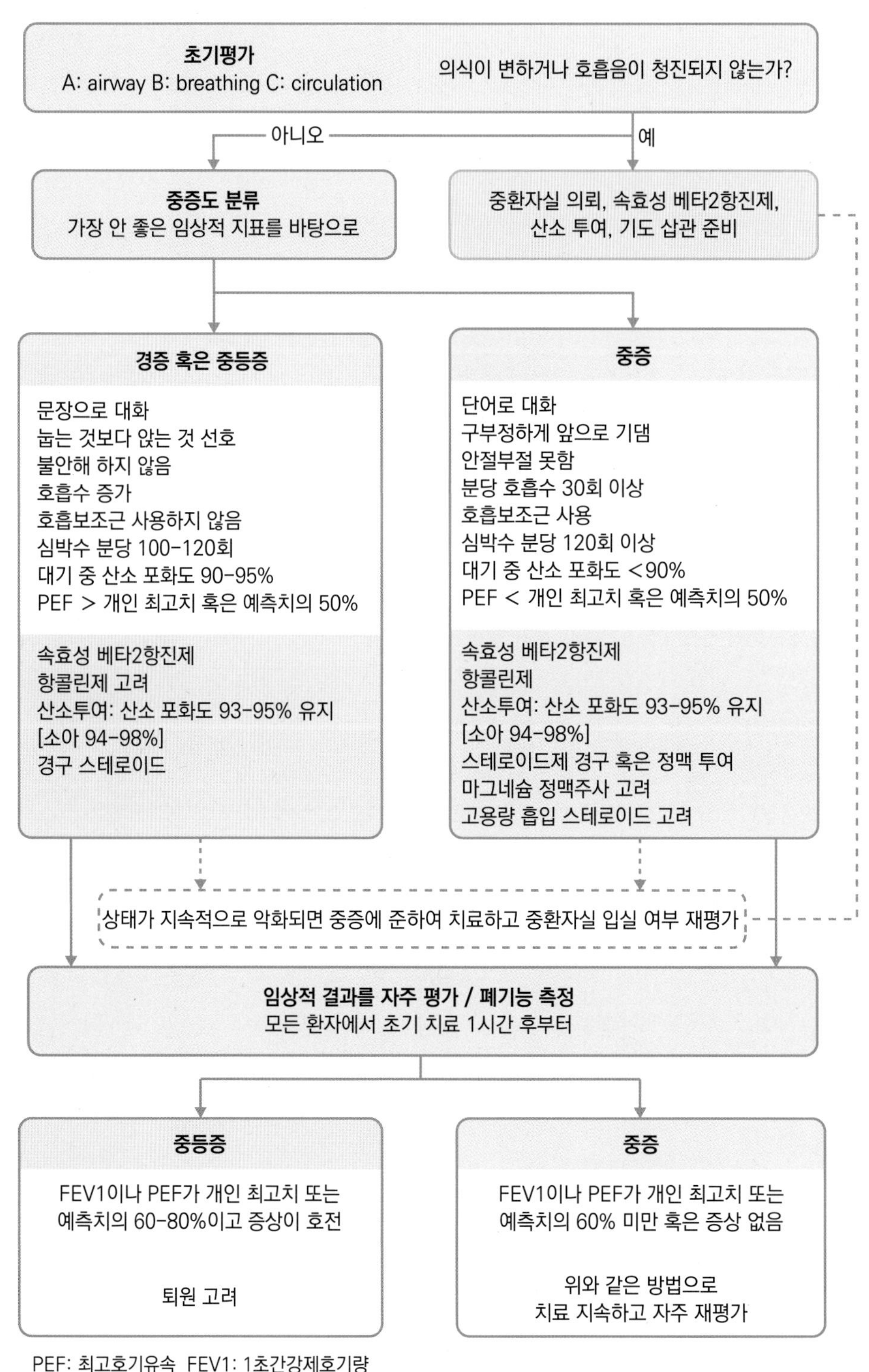

그림 6-6. 천식의 중등도 평가

다. 호기말 양압을 적용하게 되면, 적정 기도압을 유지하고 폐포가 열린상태로 지속된다. 그 결과 폐모집을 원활히 하여 환기-관류 균형이 호전되어 산소화가 개선이 된다.

(4) 호흡 조절의 이상

뇌압상승, 중추신경 감염, 뇌종양, 경련, 약물 중독 등과 같이 호흡 조절 중추의 이상이거나 신경근육 질환 등에 의해 적절한 호흡량을 유지할 수 없는 질환들이 포함된다. 임상적으로 호흡 수 또는 호흡 노력이 불규칙적이고 변동성이 크며, 얕은 호흡을 하거나 무호흡인 경우도 있다.

일반적인 호흡 부전 평가 및 치료는 동일하나, 호흡이 불규칙하거나 없는 경우 또는 호흡 노력이 불충분한 경우 조기에 양압환기를 시작해야 산소화 및 환기를 유지할 수 있다. 또한 분비물 배출을 위해 기침이 원활하지 않을 수 있어 기도 개방을 위해 석션을 적극적으로 시행한다. 신경근육 질환의 환자의 경우 석시닐콜린(succinylcholine) 사용은 고칼륨혈증, 악성 고체온증 등을 유발할 수 있고, 아미노글리코사이드(aminoglycoside) 계열의 약물은 신경근 차단으로 호흡근을 약화시킬 수 있기 때문에 사용 시 주의해야한다.

▶ 참고 문헌

1. 한국천식진료지침, 2015
2. Hammer J. Acute respiratory failure in children. Paediatr Respir Rev. 2013;14(2):64-9
3. Schneider J, Sweberg T. Acute respiratory failure. Crit Care Clin. 2013;29(2):167-83
4. Topjian AA, Raymond TT, Atkins D, Chan M, Duff JP, Joyner BL, Jr., et al. Part 4: Pediatric Basic and Advanced Life Support: 2020 American Heart Association Guidelines for Cardiopulmonary Resuscitation and Emergency Cardiovascular Care. Circulation. 2020;142(16_suppl_2):S469-s523
5. Vo P, Kharasch VS. Respiratory failure. Pediatr Rev. 2014;35(11):476-84; quiz 85-6
6. Westley CR, Cotton EK, Brooks JG. Nebulized racemic epinephrine by IPPB for the treatment of croup: a double-blind study. Am J Dis Child. 1978;132(5):484-7

제 7 장

쇼크의 진단과 치료

1 쇼크의 정의

쇼크란, 조직세포에서 필요로 하는 대사성 및 산소 요구량을 적절히 충족시켜 주지 못하는 불충분한 혈액 관류에 의해 발생하게 되는 급성 순환 부전 상태를 말한다. 조직의 요구량과 공급량 간의 불균형에 따른 결핍 상태에 대한 즉각적인 처치가 이루어지지 못하면 비가역적인 세포 손상 및 미세 순환 부전을 초래할 수 있고 이는 심폐 부전, 다장기 부전, 더 나아가 심장정지로 급격히 진행되어 나쁜 임상 예후를 초래할 수 있으므로 이에 대한 빠른 인지와 신속한 진단 및 적극적인 치료가 매우 중요하다.

2 쇼크의 병태생리

조직 세포로의 산소 공급은 다음의 여러 요소들에 의해 결정된다.

산소 공급량 = 심박출량 × 동맥혈 산소 함유량

심박출량 = 심박동수 × 일회 심박출량

동맥혈 산소 함유량 = 1.34 x 혈색소(g/d) x 동맥혈산소포화도(%)/100 + (0.003 × 동맥혈 산소분압)

일회 심박출량 ↑ 전부하, 후부하, 심장 수축력

쇼크로 인한 조직의 산소요구량과 공급량 간의 불균형, 그에 따른 조직의 산소 결핍 상태는 세포내 혐기성 대사과정을 유발시켜 혈중 젖산 농도 증가를 초래한다(그림 7-1).

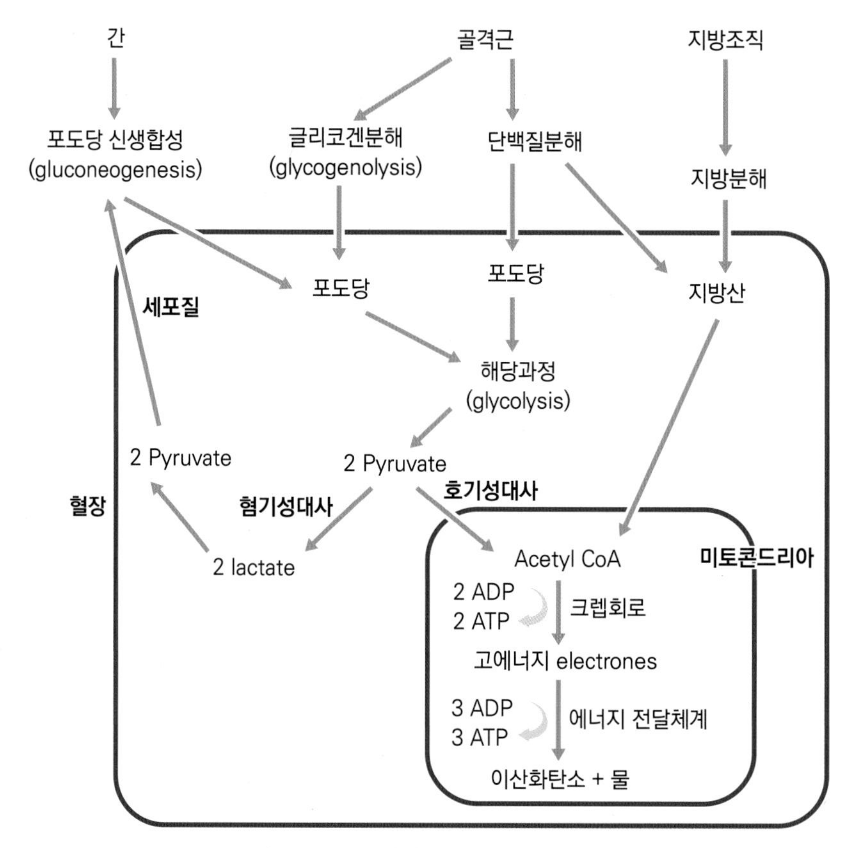

그림 7-1. 쇼크상태에서의 물질 대사과정

3 쇼크의 분류

1) 쇼크의 유발요인 및 기전에 따른 분류

(1) 저혈량 쇼크

산소 및 영양소를 전달하는 매체인 혈액의 양, 즉 순환 용적 소실에 따른 심장의 전부하 감소로 심장박출량이 감소됨으로써 유발되는 쇼크 상태를 말한다(표 7-1).

표 7-1. 저혈량성 쇼크의 원인

수분 및 전해질 소실	혈장 소실
구토	화상
설사	모세혈관유출 증후군
신성 소실	패혈증
발한 과다	복막염
이뇨제 과다 사용	신증후군
출혈	저알부민혈증
외상성	장폐쇄
골절	췌장염
간/비장 손상	
주요 혈관 손상	
두개강 내 손상	
위장관계	
수술 관련	

(2) 심인성 쇼크

혈액 순환의 원동력을 제공하는 심장 기능 이상에 의한 심혈관계부전에 의해 유발되는 쇼크 상태를 말한다. 원인으로는 선천성 심장기형, 심근염, 심근병, 부정맥, 외상에 의한 심근 손상 등이 있을 수 있는데 가장 흔하게는 심근 수축력 감소에 의한 경우가 가장 많다. 심인성이 아닌 쇼크에서도 종종 후기 증상으로 심장기능 부전이 나타날 수 있는데, 쇼크에 의한 독성물질에 의한 심근 손상, 심근 부종, 아드레날린성 수용체 기능 부전, 심근 내 칼슘 이동의 장애, 관상동맥 혈류 장애 등에 의해 초래될 수 있다. 심인성 쇼크가 발생하면 일회박출량이 감소하고 그에 따른 심장박출량 감소 및 심근 관류 감소는 심근 산소 요구량을 더 증가시켜 심근 허혈 상태를 더 악화시킬 수 있다. 저혈량성 쇼크와는 달리 보상 기전에 의한 반응들은 심부전 및 쇼크 상태를 더 악화시킬 수 있다. 카테콜아민 분비가 증가되면 심장박동수 및 후부하가 증가되면서 심근 산소 요구량을 더 증가시켜 심근 허혈 상태를 더 악화시키며 증가된 혈관 긴장도는 중심정맥압(우심방 압력) 및 폐혈관 쐐기압(좌심방 압력)을 증가시키고 양 심실의 이완기말 심실용적의 증가로 폐순환 및 전신 순환의 울혈 증세를 유발하여 폐부종 및 저산소증, 호흡 곤란을 초래할 수 있다.

적절한 치료를 위해서는 빠른 진단이 무엇보다 중요하며 이를 위해서는 자세한 병력 청취와 신체 검진이 필요하다. 그 외 영상의학검사나 심장초음파 등의 보조적 검사에 의해서도 도움을 받을 수 있다(표 7-2).

표 7-2. 심인성 쇼크의 진단

병력 청취	심한 호흡 곤란 발한 증가 수유시간 연장, 체중 증가 저하(영아)
신체검진	빈맥 빈호흡 심잡음 약한 말초맥박 간비대 말초부종 청색증 경정맥 울혈 저혈압
흉부방사선검사	심장 비대 폐정맥 울혈
심초음파	선천성 심기형 심근수축력 저하 판막 이상 심실 확장
심전도	심근손상/허혈 소견 부정맥

(3) 폐쇄성 쇼크

물리적인 혈류 막힘 장애에 의해 발생하는 쇼크로, 정맥 환류가 감소되거나 심장으로부터의 심장박출 장애가 초래되어 심장박출량이 감소됨으로써 발생하게 되는 쇼크 상태이다. 주된 원인으로는 긴장 기흉, 심장 눌림증, 다량의 폐색전증 또는 동맥관 의존성 선천성 심기형 등의 경우가 있다. 초기 폐쇄성 쇼크는 저혈량 쇼크와 감별이 잘 안될 수 있지만 주의 깊게 살펴보면, 점진적으로 발생하는 저혈량 쇼크와는 달리 보통 발생이 매우 급성이고 체순환 또는 폐순환의 울혈 증상을 주의 깊게 관찰함으로써 진단할 수 있다.

① 심장 눌림증

심낭에 삼출액, 공기, 또는 혈액 등 어떤 물질이 축적되면서 심장이 압박되어 심장 내로 충분한 양의 전신 정맥 환류가 이루어지지 못함으로써 전부하 감소로 인한 심장박출량의 감소로 발생하게 되는 쇼크 상태이다. 대표적인 증상으로는 기이맥, 좁은 맥압, 심낭 마찰음, 호흡곤란, 저혈압, 경정맥 팽대, 심음 감소 등이 있다.

② 긴장 기흉

흉막 내에 다량의 공기가 고이면서 침범한 쪽 폐를 누르고 폐가 정상적으로 잘 팽창할 수 없도록 하고 종격동을 반대쪽 흉곽으로 밀게 되면서 심장 및 혈관들, 반대편 폐까지 압박하게 되어 심장의 전부하를 막음으로써 심장박출량 감소를 초래하여 발생하게 되는 쇼크이다.

③ 동맥관 의존성 질환

폐혈류 또는 전신 혈류가 동맥관에 의존하는 일련의 선청성 심장 기형 질환들로서 동맥관이 닫혀가게 되면 생후 수일 내에 폐혈류량 또는 체혈류량의 감소에 의해 심장박출양이 감소되면서 발생하게 되는 쇼크상태이다. 심장초음파 검사를 통한 심장의 구조적 이상에 대한 검사가 필요하다.

④ 다량의 폐색전증

주폐동맥이 혈전이나 공기, 지방, 양수, 카테터 조각 등에 의해 갑자기 막히게 되면서 폐순환을 통한 좌심실로의 혈류 장애로 좌심실 충만 감소에 의한 심장박출량 저하로 초래되는 쇼크 상태이다. 심장 초음파나 혈관 조영 전산화단층촬영술 등을 시행하여 확진할 수 있다.

(4) 분배성 쇼크

혈관 저항 감소에 따른 혈류의 부적절한 분배에 의해 초래되는 쇼크를 말한다. 혈액 순환의 통로를 세공하는 혈관이 확상되어 상대석인 저혈댱 상태가 조래되어 쇼크가 유발되는 것으로 심장박출량 증가 및 체혈관 저항 감소를 특징으로 한다.

① 패혈성 쇼크

가장 대표적인 분배성 쇼크로, 감염에 대한 숙주의 조절되지 않는 반응에 의한 심각한 세포 및 대시 이상, 심혈관계 및 다장기 부전이 초래되는 경우로 정의할 수 있다. 질병을 유발할 수 있는 미생물이 몸 안으로 침투하게 되면 우리 몸에 내재된 면역체계가 감염원을 인지하고 대식세포, 단핵구, 수지돌기세포, 과립구, 자연살해세포 등의 여러 면역 관련 세포들이 활성화되면서 보체연쇄반응을 활성화시키고 여러 염증 반응성 사이토카인을 분비하게 된다. 이는 다시 면역 관련 세포들을 염증 부위로 유도하고 염증성 화학물질, 사이토카인의 생성 및 분비를 다시 자극하여 염증 반응을 증폭시키게 되는데 이러한 세포 및 분자 수준의 수많은 반응 경로들이 서로 복잡하게 영향을 주고받으면서 비정상적으로 잘 조절되지 않고 심하게 진행되는 경우 패혈증을 초래하게 된다. 혈관 확장 및 정맥 확장에 의해 혈액이 정맥 순환 내에 충만하게 됨으로써 상대적인 저혈량 상태가 초래되고 혈관내피세포 장벽의 손상에 따른 모세혈관 유출의 증가로 혈관으로부터 혈장이 조직으로 빠져나가게 됨으로써 저혈량 상태를 더 악화시키며, 한편 과응고상태, 미세 혈전 생성, 파종성혈관내응고를 초래하여 결국 조직 손상 및 다기관 부전을 초래할 수 있다.

② 아나필락시스 쇼크

약물이나 백신, 음식, 독소, 식물 또는 그 외 항원으로 작용할 수 있는 것들에 대해 우리 몸이 전신적, 급성으로 반응하여 정맥 및 동맥 혈관 확장을 일으킴으로써 발생하는 쇼크이다. 혈관으로부터의 누출에 의한 기도 및 점막의 부종, 염증 반응에 의한 기도 연축(spasm), 호흡 곤란, 천명, 협착음(stridor), 저혈압, 빈맥, 히스타민 분비에 의한 두드러기, 오심, 구토 등의 증상을 보일 수 있다.

③ 신경성 쇼크

척수성 쇼크라고도 불리는 것으로 경추 또는 6번 흉추 이상의 위쪽 척수 손상에 의해 혈관 및 심장으로의 교감신경 분포가 절단됨으로써 발생하게 되는 쇼크이다. 혈관 평활근에 대한 갑작스러운 신경 신호 전달의 단절로 조절되지 않는 전반적인 혈관 긴장도의 감소로 심한 체혈관 확장이 발생하게 되면서 유발되는 쇼크 상태이다. 일반적인 쇼크 상태의 경우 보상 기전으로 교감신경이 활성화되면서 심장박동수를 증가시키지만 신경성 쇼크의 경우 이러한 보상 기전이 제대로 작동하지 못하게 된다.

4 쇼크의 진단

1) 쇼크의 중증도에 따른 단계적 분류

(1) 보상성 쇼크

쇼크 초기, 우리 몸에서는 주요 장기로의 혈류 공급을 유지하기 위해 다양한 보상 기전들이 작동하게 되는데 이러한 작용들에 의해 연령별 정상 혈압 기준 5 백분위수 이상의 정상 범위 내 혈압을 유지하는 쇼크 상태를 말한다.

Information 정상 수축기 혈압 5 백분위수

1개월 미만: 60 mmHg
1개월-10세: 70 mmHg + [2 x 연령 (세)]
10세 이상: 90 mmHg

Information 쇼크에 대한 보상 기전

심장박동수 증가, 체혈관 저항 증가, 심근 수축력 증가, 정맥 혈관 긴장도의 증가

가장 먼저는 심장박동수가 증가하게 되는데 이에 따른 심장박출량의 증가는 제한적일 수 있다. 다음으로는 조직으로의 산소 전달 공급이 충분치 못함으로써 선택적으로 체혈관 저항이 증가하면서 덜 중요한 장기들(피부, 골격근, 장, 신장)로부터 주요 장기(뇌, 심장)로 혈류가 재분포되게 되며 이와 관련한 증상들을 보일 수 있다. 혈압은 심장박출량과 심장박동수에 의해 결정되는데 소아의 경우 심장박출량 감소에 대한 보상 기전으로 체혈관 저항 증가가 효과적으로 이루어져 쇼크의 초기에는 정상 또는 오히려 약간 높은 혈압을 보이게 된다. 초기 보상성 쇼크의 경우 빈맥, 빈호흡, 약간의 의식 변화(약간 보챔, 졸림, 처짐), 맥압 변화 등의 비전형적인 임상 소견들을 보이게 되는데 이런 증상을 보이는 환아의 경우 쇼크의 초기 증상이 아닌지 의심해 보아야 한다. 혈압은 유지되더라도 체혈관 저항 증가 및 불충분한 심장박출량에 의한 조직 관류 감소로 쇼크가 진행되게 되면 젖산혈증, 모세혈관 재충혈시간 연장, 차가운 사지 말단, 약한 말초 맥박, 소변량 감소 등의 말단 장기 부전 소견을 보일 수 있다(표 7-3).

표 7-3. 쇼크의 진단을 위한 신체 검진 및 단계별 임상 양상

	검진 요소	보상성	저혈압성
혈압		정상 범위 유지 ──────▶	저하
의식상태		불안감, 초조, 흥분, 걱정, 두려움	의식 저하
피부	체온, 축축함, 색깔, 피부 긴장도, 발진 유무	창백, 얼룩덜룩함	창백, 차가움, 피부 긴장도 감소
손톱 밑	색깔, 모세혈관 재충혈시간	모세혈관 재충혈시간 연장	모세혈관 재충혈시간 연장 악화
맥박	말초/중심 맥박 강도, 맥박압 차이	말초 맥박 약화, 맥박압 차이 감소	말초 맥박 감소 또는 사라짐, 중심 맥박 약화
심박동수	속도, 리듬	빈맥	심한 빈맥의 증가
호흡 양상	속도, 호흡 노력, 이상 호흡음	빈호흡	빈호흡 악화, 호흡 노력 증가, 산소화 저하 심화
	산소화, 환기 적절성	조직 산소 공급 저하	조직 산소 공급 저하 심화
소변	양, 농축도	감소	무뇨

(2) 저혈압성 쇼크

우리 몸의 여러 보상 기전에도 불구하고 더 이상 연령별 정상 기준 범위의 혈압을 유지하지 못하게 되는 쇼크 상태를 말한다. 혈압이 저하되면 조직으로의 혈액 관류 및 산소 전달 공급 부족이 더 악화되어 대사성 산증 및 말단 장기 부전 소견이 더 악화될 수 있다. 소변량 감소, 의식 저하, 심근 산소 공급 저하에 따른 심근 수축력 감소, 심근 기능 부전 및 심장박출량 감소의 악화로 말단 장기들의 비가역적 손상 및 심장정지로 급격히 진행할 수 있으므로 빠르고 적극적인 치료를 통해 더 이상의 진행을 막아줄 수 있도록 해야 한다.

2) 쇼크의 임상 양상

쇼크는 다음과 같이 다양하고 비전형적인 임상 양상으로 나타날 수 있는데 진행 과정 및 장기 부전 소견을 빨리 인지하고 적극적인 치료를 해줄 수 있도록 한다(표 7-4).

또한, 자세한 병력 청취 및 동맥혈 가스 분석 검사, 전체혈구계산, 일반화학검사, 혈중 젖산 농도 등의 혈액검사 소견, 영상 의학적 검사를 통해 쇼크의 원인 및 중증도 평가, 쇼크에 의한 이차적인 장기 부전의 유무 및 정도의 평가, 대사성 이상 소견에 대한 진단, 치료에 대한 반응 평가 등에 도움을 받을 수 있다.

표 7-4. 쇼크의 분류에 따른 임상 양상

	저혈량성	심인성	폐쇄성	분배성
호흡수/노력	증가/정상 또는 증가	증가/매우 증가	증가/매우 증가	증가/정상 또는 증가
호흡음	정상	수포음	정상 또는 수포음	정상 또는 수포음
심박동수	증가	증가	증가	증가
맥압 차이	감소/작음	감소/작음	감소/작음	다양 (큼 → 작음)
말초 맥박	약함	약함	약함	다양
피부	창백/얼룩덜룩함, 차가움	창백/차가움	창백/차가움	따뜻함 → 얼룩덜룩함, 차가움
점막	말라 있음			
모세혈관재충만시간	연장	연장	연장	감소/정상/연장
심박동수	속도, 리듬	심한 빈맥의 증가		
사지 말단		몸통 보다 더 차가움	몸통 보다 더 차가움	몸통 보다 더 차가움
소변량 및 농축도	감소 및 농축	감소	감소	감소

5 쇼크의 치료

쇼크 치료의 목적은 조직의 요구도에 맞추어 전신 관류 및 산소 공급을 호전시킴으로써 말초 장기 손상을 막고 더 이상 심폐부전이나 심장정지로 진행되지 않도록 막고자 함이다. 환자 예후 향상을 위해서는 보상성 쇼크의 초기에 빨리 쇼크를 인지하여 적절한 치료를 해줄 수 있도록 해야 한다. 일단 쇼크를 인지한 지 5–15분 이내에 심장박동수 및 산소포화도, 혈압 등의 혈류역학적 감시를 시작하고 적절한 주입로의 확보 및 가능한 혈액 검사를 시행한다.

1) 쇼크의 일반적인 치료

쇼크는 급성 순환 부전에 의한 조직으로의 불충분한 산소 공급 및 그에 따른 일련의 임상 증상들을 보이는 질환이므로 쇼크를 초래한 가역적인 요소 및 기저 질환의 치료뿐 아니라 적절한 산소 전달 공급 및 산소 요구량과 공급량의 균형을 맞추어주고자 하는 치료 노력이 중요하다. 이를 위해서는 혈액 내 산소함유량을 최적화해주고 심장박출량 및 조직 관류, 혈류 분포의 호전, 산소요구량의 감소, 대사성 이상 소견을 교정해줄 수 있도록 한다.

(1) 혈액 내 산소 함유량의 최적화

산소 함유량은 혈색소와 산소 포화도에 의해 결정된다. 따라서 비재호흡식 마스크(non-rebreathing mask)를 통한 100% 산소 공급 등 고농도의 산소 투여 및 적극적인 호흡 보조를 통해 산소화에 도움이 되도록 한다. 명확한 기관 삽관의 적응증이 되지 않는 경우 고유량 비강 캐뉼라(high flow nasal cannula)등의 비침습적 호흡 보조 치료를 먼저 고려해 볼 수 있겠으며 이러한 호흡 보조 만으로도 호흡 작업 부하(respiratory workload)를 줄여주고 산소화를 개선시켜 줄 수 있다. 그러나 비침습적 호흡 보조만으로 산소화 및 환기가 적절하게 유지되지 못하는 경우, 의식상태 저하가 심화되는 경우, 호흡 노력이 심하게 증가되는 경우 적극적인 기관 삽관 및 인공호흡기 적용을 통한 침습적 호흡 보조를 통해 산소화를 호전시킬 수 있도록 한다. 또한, 대량 출혈성 쇼크의 경우는 적혈구 수혈을 통해 혈색소를 상승시켜 주는 것도 도움이 될 수 있다.

(2) 심장박출량 및 조직 관류, 혈류 분포의 호전

일단 기도가 안전하게 확보되어 산소화 및 환기가 적절하게 유지되는 상태라면 수액 및 여러가지 약물 투여를 위한 정맥혈관 주입로를 확보해야 한다. 그러나 쇼크 상태의 소아 환자들에서 빠른 정맥혈관 확보는 쉽지 않을 수 있으므로 보상성 쇼크의 경우 먼저 말초정맥혈관 확보를 시도해 볼 수 있지만 저혈압성 쇼크로 진행된 경우 말초정맥혈관 확보가 어렵다면 적절한 처치가 너무 지연되지 않도록 골내주사를 통한 주입로를 확보하도록 한다. 또한 시술자의 숙련도 및 임상 상황에 따라 중심정맥관 삽입을 시도해 볼 수도 있다. 주입로가 확보되었다면 적절한 초기 수액 소생 치료 및 필요시 심혈관계 약물들의 사용을 통해 심박출량 및 조직 관류, 혈류분포를 호전시켜주도록 한다.

(3) 산소 요구량의 감소

주로 호흡 노력의 증가, 열, 통증, 불안 등에 의해 산소요구소모량이 증가되므로, 적절한 정도의 비침습적 또는 침습적 호흡 보조, 진정제 투여, 필요시 신경근차단제의 사용, 통증 조절, 해열제 투여, 적절한 범위에서의 체온 조절 등을 해주도록 한다. 다만 진정 및 통증 완화제 사용 시에는 이 약물들에 의해 환아의 내인성 스트레스 반응 및 그에 따른 보상 기전의 약화, 진정에 따른 적절한 의식 수준 평가에 어려움을 초래할 수 있으므로 주의를 요한다.

(4) 대사 이상 및 전해질 이상 교정

다음과 같은 대사성 및 전해질 이상은 심장의 수축 기능에 영향을 미칠 수 있으므로 적극적으로 교정해주도록 한다.

① 혈당 이상

어린 영아나 만성질환 환아의 경우 적절한 에너지 생성을 위한 혈당 저장능이 감소되어 있을 수 있으므로 저혈당에 빠질 위험이 더 높다. 간기능 이상이 있는 경우 포도당의 생성 및 대사가 원활하게 이루어지지 않아 저혈당을 초래할 수 있다. 소아에서는 혈중 포도당 농도 60 mg/dL 이하를 저혈당으로 정의할 수 있으며 식은땀을 흘리거나 빈맥, 조직 관류 저하, 기면 또는 보챔, 저혈압 등의 증상이 동반된 심한 저혈당 상태인 경우 정맥혈관을 통해 포도당을 0.5–1 g/kg (25% 포도당 용액 2–4 mL/kg 또는 10% 포도당 용액 5–10 mL/kg) 투여한다. 투여 후에는 반드시 다시 혈당을 체크하고 필요시 포도당을 포함한 수액을 주도록 한다. 심각한 중증 환아들에 있어서는 스트레스에 의한 내인성 카테콜아민 분비의 증가로 상대적 인슐린 저항성이 초래되어 오히려 고혈당증이 나타날 수도 있다. 고혈당증은 중환자에 있어서 나쁜 임상 결과를 초래하는 것으로 보고되었으나 과도한 인슐린 치료에 의한 저혈당 관련 위험을 줄이기 위해 혈당 140–180 mg/dL를 치료 목표로 조절한다.

② 저칼슘혈증

칼슘은 심근 수축력 및 혈관 긴장도 조절에 매우 주요한 요소이다. 저칼슘혈증은 혈액제재의 수혈이나 콜로이드용액의 투여, 중탄산염등의 완충약제 투여에 의해 유발될 수 있으며 필요시 칼슘 투여로 교정해주도록 한다.

③ 고칼륨혈증

신기능 이상이나 부신 기능 이상, 또는 대사성 산증이 있는 경우 발생할 수 있다. 특히 대사성 산증은 칼륨을 세포 내로부터 세포 외로 이동시켜 고칼륨혈증을 더 악화시킬 수 있으며 의미 있게 증가되어 있는 경우 치료해 주도록 한다.

④ 대사성 젖산 혈증

대사성 산증은 모든 종류의 쇼크에 있어서 특징적인 소견이다. 부적절한 조직 관류에 의해 조직 내의 산소 결핍으로 혐기성 대사가 이루어지면서 젖산 생성이 증가되며, 신기능 부전에 의한 유기산 축적, 위장관계 이상에 의한 중탄산의 소실 등에 의해서도 초래될 수 있다. 이러한 대사성 산증은 심근수축력 및 심혈관계 약물들의 효과를 감소시킨다. 저혈량성 쇼크에 따른 이차적 대사성 산증의 경우 수액 소생 치료를 통한 조직 관류 호전에 따른 말단 장기 기능 호전을 통해 서서히 교정되며 중탄산염 투여의 적응증이 되지 않으나, 신장 또는 위장관을 통한 심한 중탄산염 소실에 따른 대사성 산증의 경우 급성기 대사성 산증 교정을 위해서는 완충제 역할을 하는 중탄산염 투여가 산증을 일으키는 수소이온과 결합하여 물과 이산화탄소로 대사되어 배출될 수 있도록 하는 데 도움이 될 수 있다. 또한 대사성 산증 교정 시 적절한 호흡 보조를 통한 폐포 환기 증가로 생성된 이산화탄소가 원활하게 배출될 수 있도록 해주는 것도 중요하다. 그러나 당뇨병성 케톤산증의 경우 대사성 산증이 심하더라도 중탄산염투여가 예후를 악화시킬 수 있으므로 가능한 투여하지 않도록 한다.

2) 수액 치료

쇼크의 유발 요인 및 기전이 무엇이든 모든 쇼크 상태의 환아들은 절대적 또는 상대적인 저혈량 상태에 놓이게 되므로 1차적인 쇼크 치료는 효과적인 순환 혈액량 회복을 통한 조직으로의 관류 및 산소 전달 공급 향상을 목표로 한다. 환자 상태에 따라 적절한 혈관주입로가 확보되었다면 심인성 쇼크를 제외하고는 즉시 적극적인 초기 급속 수액 소생 치료를 시작하여 수액 과다 소견이 없는 한 쇼크 상태로부터의 호전 소견이 보일 때까지 수액 치료를 지속한다.

(1) 수액의 종류

초기 급속 수액 소생 치료 시에는 알부민제제 같은 콜로이드용액보다는 결정질 용액이 선호된다. 결정질용액 중에서는 0.9% 생리식염수 보다는 균형/완충 결정질 용액을 사용할 것을 권고하고

표 7-5. 수액의 종류

용질 (mmol/L)	혈장	결정질요액				콜로이드용액		
		생리식염수	Ringer's lactate	Hartmann's	Plasma-lyte	4% albumin	6% HES	Dextran
Na^+	135-145	154	130	131	140	148	154	154
K^+	4-5	0	4.5	5	5	0	0	0
Ca^{2+}	2.2-2.6	0	2.7	4	0	0	0	0
Mg^{2+}	1-2	0	0	0	1.5	0	0	0
Cl^-	95-110	154	109	111	98	128	154	154
Acetate	0	0	0	0	27	0	0	0
Lactate	0.8-1.8	0	28	29	0	0	0	0
Gluconate	0	0	0	0	23	0	0	0
Bicarbonate	23-26	0	0	0	0	0	0	0
Osmolarity*	291	308	280	279	294	250	286-308	308
Colloid	35-45	0	0	0	0	20	60	100

*Osmolarity: (mOsm/L), HES: hydroxyethyl starch

있는데 0.9% 생리식염수는 염소 농도가 높으므로, 초기 급속 수액 주입 소생 치료에 사용하는 경우 다른 링거용액이나 Plasmalyte 등의 균형/완충 결정질 용액을 사용하는 경우에 비해 고염소성 산증, 전신 염증 반응, 급성 신손상, 혈액 응고 장애, 사망률의 증가를 초래할 수 있는 것으로 보고되었다. 따라서 좀 더 대규모의 연구가 필요하겠지만 저나트륨혈증이 있거나 두개강 내 압력 상승이 우려되는 경우 외에는 0.9% 생리식염수보다는 균형/완충 결정질 용액을 사용하도록 한다. 보통 초기 급속 수액소생치료에 콜로이드용액을 사용하지는 않지만 다량의 "third space loss(제3공간 소실)" 가 있거나 알부민 소실이 있는 경우 콜로이드용액 사용을 고려해 볼 수 있다(표 7-5).

(2) 수액 주입량 및 속도

초기 급속 수액 소생 치료 시 10-20 mL/kg를 5-20분에 걸쳐, 총 40-60 mL/kg까지 치료 시작 첫 한 시간 이내에 투여해볼 수 있다. 각 쇼크의 유발 요인 및 기전, 환자 상태에 따라 용량 및 속도에는 차이가 있을 수 있으며 주의 깊게 환자의 혈역학적 상태를 잘 감시하면서 투여하도록 한다. 심인성 쇼크 환아나 심한 빈혈, 심한 영양 실조 상태의 환아들에서는 급속 수액 주입이 부작용을 초래할 수 있으므로 특히 주의를 요한다. 또한 수액 치료 시 수액 반응 평가를 통해 수액 주입에 따른 혈류역학적 변화를 미리 예측해 봄으로써 불필요한 수액 주입 및 합병증을 줄일 수 있다. 염증 반응에 의한 모세혈관 누출이 있는 경우 혈관 내로 주입한 수액이 혈관 외의 제 3공간으로 누출되어 조직 및 장기 부종을 초래할 수 있으며 또한 수액 과다 상태는 심장박출량을 감소시키고 사이질액의 축적을 증가시켜 가스교환을 악화시키고 심장의 유순도를 떨어뜨리며 조직으로의 산소 확산을 억제하는 등 여러 장기 기능 부전 및 각종 합병증을 초래할 수 있으므로 폐부종이나 간비대, 조직 부종 등의 증상이 새롭게 발생되거나 악화되는 등 수액 과다 소견이 보이게 되면 급속 수액 소생 치료는 중단하도록 한다.

(3) 수액 반응도 평가

수액 치료에 대한 반응도가 있다는 것은 수액 주입 시 10-15% 정도의 심박출량 또는 일회심장박출량의 증가를 보이는 경우를 말한다. 이를 평가하는 데는 여러 가지 지표들을 이용할 수 있겠으나 자발호흡을 하고 있는지, 인공호흡기 치료를 하고 있는지, 심장 부정맥의 여부, 호흡수, 폐유순도, 우심실 부전, 흉곽 내 및 복강 내 압력 등 다양한 소견들에 의해 검사 결과 및 해석이 달라질 수 있다. 자발 호흡이 있는 상태에서 이를 정확하게 평가할 수 있는 방법은 많지 않으니 수동적 하지 거상(passive leg raising) 검사를 이용해 볼 수 있겠고 인공호흡기 치료중인 환자의 경우 양압환기에 따른 동맥 파형의 변화, 상행/하행 대정맥 크기 변화, 맥압 변화, 일회 심장박출량변화 등을 이용해 볼 수 있다.

(4) 혈류역학적 감시

쇼크 환자 치료 시에는 환자의 혈류역학적 상태 및 조직 관류의 호전 여부에 대한 지속적인 감시 및 재평가를 통해 환아 상태의 변화, 치료에 대한 반응을 파악하여 최적의 치료가 이루어질 수 있도록 한다. 우선 환아의 임상 양상 관찰 및 비침습적 감시를 먼저 시작하도록 하고 필요시 동맥혈관 및 중심 정맥관 등의 침습적 감시장치 삽입을 통한 중심정맥압, 동맥압, 동맥산소분압, 폐동맥 쐐기압 등의 적극적인 혈류역학적 감시를 통해 환자의 거시 순환 상태를 평가하여 치료에 이용할 수 있다.

초기 쇼크에 대한 소생 치료 효과를 판단할 수 있는 정상 혈류역학적 상태로의 회복 지표로는 다음과 같은 기준을 이용할 수 있다(표 7-6).

표 7-6. 쇼크 치료의 목표

산소포화도: 94%이상 유지 심박동수: 연령별 및 임상 상황에서의 적절한 박동수
말초 맥박: 약했던 맥박이 잘 만져지고 도약맥박(bounding)은 감소
모세혈관 재충혈시간 <2초
피부색 및 체온의 정상화 따뜻한 사지
연령별 정상 범위의 혈압
정상 의식 수준 회복
젖산 농도 호전
소변량 영아 및 어린 소아 1.5-2 mL/kg/hr 연장아 및 청소년: 1 mL/kg/hr

(5) 혈액 제제의 투여

결정질용액으로 교정되지 않는 저혈압 또는 지속적으로 조직 관류가 좋지 않으며 쇼크 상태가 지속되는 경우, 심각한 대량 출혈이 있는 경우 혈액 제재 수혈을 시행한다. 외상에 의한 대량의 혈액 소실 시 20 mL/kg의 수액 일시 투여를 2-3회 반복하여 시행하였음에도 적절한 조직으로의 혈액관류상태가 호전 및 유지되지 않는 경우 농축 적혈구 수혈이 권고된다. 적어도 2시간 이상 심혈관계 약물의 증량이 없이 혈역학적으로 안정된 경우, 혈중 혈색소 농도가 7 g/dL 이상이고 심근허혈이나 심한 저산소증, 급성 출혈 소견이 없다면 적혈구 수혈이 꼭 필요하지는 않다. 또한 특별히 출혈 소견이 없는 경우 단순히 혈소판 수치나 혈액응고 수치 이상만 보고 그에 따라 예방적으로 혈소판을 수혈하거나 혈장을 수혈하는 것은 권고하지 않는다.

3) 심혈관계 약물의 사용

적절한 심장의 전부하를 위한 급속 수액 소생 치료로 충분한 순환 혈액량 보충이 이루어졌음에도 조직으로의 혈액 관류 소견이 호전되지 않고 쇼크 상태가 지속되거나, 수액 과다 소견이 보이거나 수액 주입으로 인한 합병증이 우려 되는 경우 심혈관계 약물 치료를 시작하게 된다. 심혈관계 약물은 각 약물의 약리학적 작용에 따라 다양한 수용체에 작용하여 심장 수축력, 심박동수, 심실 이완, 체혈관 저항 및 폐혈관 저항 등에 다양한 효과를 보이게 되므로 각각의 효과에 대해 잘 알고 적절한 약물을 잘 선택하여 사용할 수 있도록 한다(표 7-7). 일반적으로 적절한 수액 소생 치료가 선행되지 못한 채 약물을 사용하게 되면 오히려 해가 될 수 있으므로 주의를 요한다(표 7-8). 심인성 쇼크의 경우는 심근기능부전에 의해 초래된 쇼크이므로 조기에 심혈관계 약물을 적절히 사용해 주는 것이 중요하다.

표 7-7. 심혈관계 약물의 혈역학적 효과 및 추천 용량

약제	혈역학적 효과						추천용량	
	심박출량	심근 수축력	심박동수	체혈관저항	평균 동맥압	폐동맥 쐐기압	승압	혈관 수축/이완*
Dopamine	↑↑	↑	↑	↑↔↓	↑↔	↑↔	2-15 ug/kg/min	>12 ug/kg/min
Dobutamine	↑↑	↑↔	↑↔	↓	↓↔	↔	2.5-20 ug/kg/min	
Epinephrine	↑↑	↑	↔/↑/↑↑	↑↔↓	↑↔	↑↔	0.05-0.5 ug/kg/min	0.1-1 ug/kg/min
Norepinephrine	↑↔↓	↑	↑/↑↑	↑↑↑	↑↑	↑↔		0.05-1 ug/kg/min
Phenylephrine	↔	↔	↔	↑↑↑	↔	↔		0.1-0.5 ug/kg/min
Vasopressin	↓	↔	↔	↑↑↑	↑	↔		0.2-2 vmu/kg/min
Isoproterenol	↑↑	↔	↑↑	↓↓	↓	↓	0.05-1 ug/kg/min	
Milrinone	↑↑	↑	↑↔	↓↓	↓↔	↓↔	0.25-0.75 ug/kg/min	
Nitroprusside	↑	↔	↑↔	↓↓	↓	↓		0.3-4 ug/kg/min*
Nitroglycerin	↑	↔	↑↔	↓	↓	↓↔		0.25-1 ug/kg/min*

↑: 약간 증가, ↑↑: 중등도 증가, ↑↑↑: 크게 증가, ↔: 변화 없음, ↓: 약간 감소, ↓↓: 중등도 감소

표 7-8. 쇼크의 혈역학적 상태에 따른 심혈관계약물의 선택

혈역학적 상태	혈압 또는 체혈관 저항		
	정상	낮음	높음
일회박출량 증가 또는 변화 없음		Norepinephrine 또는 vasopressin	
일회박출량 감소	Dobutamine 또는 dopamine	Dopamine 또는 Epinephrine (or Dobutamine + Norepinephrine)	Dobutamine + 혈관확장제 + /또는 PDE III 억제제(포스포디에스테라아제 3형 억제제)
심인성 쇼크	Dobutamine 또는 dopamine or PDE III 억제제	Dopamine or Epinephrine	Dobutamine + 혈관확장제 + /또는 PDE III 억제제
심근기능부전	Dobutamine or dopamine 또는 PDE III 억제제	Dopamine or Epinephrine	Dobutamine + 혈관확장제 + /또는 PDE III 억제제

4) 쇼크의 기전에 따른 유형별 치료

(1) 저혈량 쇼크

등장성 결정질용액의 급속 수액 소생 치료가 가장 우선적인 치료이다. 1시간 이내에 적절한 수액 치료를 받은 경우 좋은 예후를 기대할 수 있다. 수액 소실 기전 및 소실된 양을 잘 진단하고 더 이상의 지속적인 수분 소실을 막고 산-염기 균형을 맞춰주고 초래된 대사이상 및 전해질 이상 상태들을 교정해 주도록 한다.

① 비출혈성 저혈량 쇼크

수분 소실은 간질 내, 혈관 내, 혈관 외 소실 등 다양한 기전에 의해 발생할 수 있으며 다양한 동반 전해질 소실에 따라 고장성, 등장성, 저장성 탈수 상태로 분류할 수 있다. 수분 소실 정도에 따라 다양한 임상 양상을 보일 수 있으며 심한 정도는 전체 우리 몸의 수분양 대비 소실된 정도로 평가하게 된다(표 7-9). 쇼크는 대개 50-100 mL/kg 이상 정도의 수분 소실이 있는 경우 나타나게 되는데 소실된 모든 수분량을 첫 1시간내에 다 보충해 줄 필요는 없으며 어느 정도 적절한 조직 관류 상태로 회복이 되면 나머지 소실량에 대해서는 이후 24-48시간 이내에 보충해 줄 수 있도록 한다. 보통 3회 이상의 급속 정맥 주입(20 mL/kg) 수액 소생 치료(>60 mL/kg) 에도 불구하고 쇼크 상태가 호전되지 않을 경우, 수분 소실량의 추정이 잘 못되었거나 결정질용액 외의 수액 치료가 필요한 경우이거나 지속적인 수분 소실이 있거나

표 7-9. 탈수의 정도 및 임상 증상

중증도	경증	중등증	중증
체중 감소% (mL/kg)			
영아	5 (50)	10 (100)	15 (50)
청소년	3 (30)	5-6 (50-60)	7-9 (70-90)
임상 소견	점막 마름 농축된 핍뇨 경한 빈맥	피부 긴장도 감소 대천문 함몰 현저한 소변량 감소 빈맥 빈호흡 쳐짐	심한 빈맥 약하거나 잘 촉지되지 않는 말초 맥박 맥압차 감소 호흡수 증가 무뇨 저혈압 의식 저하

쇼크의 진단 분류가 잘못된 경우일 수 있으므로 환자를 다시 재평가하여 치료할 수 있도록 한다. 환자의 생체 활력징후 및 일반적인 모습, 눈물 여부, 점막의 습한 정도, 피부 긴장도, 호흡수 및 깊이, 심박동수, 혈압, 모세혈관 재충혈 시간, 소변량, 의식 상태 등의 임상 증상을 관찰함으로써 환자의 상태 및 수액 치료의 반응성을 평가할 수 있다.

② 출혈성 저혈량 쇼크(표 7-10)

일단 초기에는 등장성 결정질용액으로 급속 수액 소생 치료를 한다. 1 mL의 혈액 소실은 3 mL의 등장성 결정질용액으로 보충해 준다. 따라서, 25%의 혈액 소실에 대한 보충은 20 mL/kg의 수액을 3회 반복 투여(60 mL/kg)해주어야 한다. 20 mL/kg의 수액 2-3회의 급속 주입 반복 투여에도 불구하고 혈류역학적 불안성 상태가 지속되며 조직으로의 적절한 혈액관류상태가 호전 및 유지되지 않는 경우 농축 적혈구 수혈이 권고된다. 적혈구 수혈 시에는 10 mL/kg를 일시 용량으로 투여하게 된다. 농축 적혈구 수혈이 지속적으로 요구되는 경우, 대량 농축 적혈구 수혈에 따른 응고 장애 방지를 위해 혈소판이나 혈장 용액의 수혈이 고려될 수 있다.

표 7-10. 출혈 정도에 따른 임상 증상

중증도	경증(<30%)	중등증(30-45%)	중증(>45%)
소실 혈액량(mL)			
영아	체중 x 80 x 0.3	체중 x 80 x 0.3~0.45	>체중 x 80 x 0.45
연장아 및 청소년	체중 x 70 x 0.3	체중 x 70 x 0.3~0.45	>체중 x 70 x 0.45
성인	체중 x 60 x 0.3	체중 x 60 x 0.3~0.45	>체중 x 60 x 0.45
임상소견			
심혈관계	빈맥 약한 말초 맥박 정상 수축기 혈압 (80-90+2 X 나이(세))	심한 빈맥 약한 말초 맥박 낮은 범위의 정상수축기 혈압 (70-80+2 X 나이(세))	빈맥 → 서맥으로 진행 매우 약하거나 만져지지 않는 말초 맥박 저혈압(<70+2 X 나이(세))
신경계	민감, 불안 상태, 혼란	쳐짐 자극에 대한 반응 둔화	혼수상태
피부	차갑고 얼룩덜룩한 피부 모세혈관재충만시간 연장	청색증 모세혈관재충만 시간 현저한 연장	창백 차가움
소변량	감소	매우 적음	무뇨

Information **차가운 혈액 제제의 대량 수혈 시 발생 가능한 부작용**

저체온증, 심근 기능 부전, 저칼슘혈증

(2) 심인성 쇼크

기본적으로는 심실 수축력의 호전을 통해 심장박출량을 호전시켜 주는 것이 치료의 목표가 된다. 많은 경우 전부하는 증가되어 있는 상태이므로 수액 치료는 크게 도움이 되지 않을 수 있으며 심근 기능이 저하되어 있는 상태에서의 급속 수액 주입은 오히려 폐부종 및 산소화 장애, 심근 기능 부전에 따른 심장박출량 감소를 더 악화시킬 수 있다. 따라서 심인성 쇼크 환아들에서 수액 치료가 필요한 경우 다른 원인 기전들에 의한 쇼크에서의 치료에 비해 더 적은 양(5–10 cc/kg)의 수액을 더 오랜 시간에 걸쳐(10–20분), 여러 혈류역학적 상태에 대해 주의 깊게 감시하면서 점진적으로 천천히 주입하며 교정해 줄 수 있도록 한다.

심근 수축력에 영향을 미칠 수 있는 여러 대사 이상 및 전해질 이상을 교정하는 것으로도 어느 정도 심장 기능 호전에 도움을 줄 수 있지만 궁극적으로 심장 기능 향상을 위해서는 심혈관계 약물 치료가 필수적이다. 심근 수축력의 회복 또는 강화를 통해 심장박출량 증가, 조직으로의 적절한 혈액 관류 회복을 통해 쇼크 상태를 효과적으로 호전시키기 위해서는 적절한 약제를 잘 선택해 주어야 한다. 이를 위해서는 환아의 혈류역학적 상태에 대한 정확한 평가와 각 약물의 약리작용을 잘 알고 있어야 하며 지속적이고 주의 깊은 혈류역학적 감시를 통해 환자 상태 변화에 따라 약제의 종류 및 주입 용량을 잘 조절해 줄 수 있어야 하므로 가능하다면 소아 심장 전문의와의 협진을 통해 진단 및 치료 방침을 결정할 수 있도록 한다.

정상 혈압을 유지하고 있는 경우라면 이뇨제, 혈관확장제, 혈압상승-혈관확장제 사용을 고려해 볼 수 있다. 혈압상승제를 사용하는 경우 심근 수축력을 증가시키는 한편 심근 산소요구량도 증가시키게 되어 심인성 쇼크의 악순환 상태를 만들 수 있으므로 이를 줄여주고자 하는 노력이 필요하다. 따라서 후부하를 감소시키는 약물을 사용하는 것이 심인성 쇼크 환자의 심장박출량 증가에는 가장 도움이 된다. 그러나 이미 저혈압성 쇼크까지 진행된 경우는 후부하 감소를 견딜 수 있을 만큼의 수액 및 혈압상승제의 투여가 먼저 필요할 수 있다.

쇼크의 원인이 가역적이고 약물적 치료에 적절히 반응하지 않는다면 기계적 보조 장치의 적용을 고려할 수 있다. 체외순환장치, 체외막 산소화요법은 일시적으로 심폐기능을 대신하여 심장박출량과 산소화, 가스 환기를 도와줌으로써 심폐부전의 회복에 도움이 될 수 있다.

(3) 폐쇄성 쇼크

초기 증상은 저혈량성 쇼크와 비슷하므로 일단 급속 수액 소생 치료를 시작한다. 그러나 폐쇄성 쇼크 환아의 경우 급격히 심폐부전 및 심장정지 상태로 진행될 수 있으므로 빨리 이차적인 진단 방법들을 동원하여 원인에 대한 진단 및 교정 치료를 해주는 것이 매우 중요하다.

① 심장눌림증

심장막천자를 시행하여 심낭에 고여 있는 물질을 제거해 주어야 하는데 심장막천자를 시행할 때까지는 수액을 공급하여 일시적으로 심장박출량을 유지해주고 가능한 빨리 천자를 시행할 수 있도록 한다.

② 긴장기흉

진단 즉시 18-20 게이지 바늘로 두번째 늑간, 쇄골 중간 지점을 천자하여 공기를 배출시켜 주고 흉관을 삽입한다.

③ 동맥관 의존성 질환

진단 즉시 PGE1 (프로스타글랜딘 E1) 주입을 통해 동맥관 폐쇄를 막아주도록 한다.

④ 다량의 폐색전증

초기 치료는 보존적 치료로 산소 투여, 인공호흡기 치료, 수액 치료를 시행하고 쇼크 상태가 아니라면 항응고제를 사용한다. 그러나 항응고제는 즉시 폐색전증에 의한 폐동맥 폐쇄 증상을 호전시켜 줄 수는 없으므로 심한 혈류역학적 불안정 상태를 보이는 경우 섬유소용해제의 사용을 고려한다.

(4) 분배성 쇼크

① 패혈성 쇼크

패혈성 쇼크의 징후를 인지한 후 되도록 빨리(10–15분 이내에) 혈류역학적 감시 및 기도 확보, 산소화 및 혈관주입로를 확보하고 초기 급속 수액 소생 치료(등장성 결정질용액 10–20 mL/kg, 5–20분간) 를 시행한다. 환자의 혈류역학적 상태를 지속적으로 감시 및 재평가하여 수액과다소견이 나타나지 않는지 잘 감시하면서 수액 치료를 지속한다. 쇼크 증상을 인지한 후 1시간 이내에 혈액배양검사를 포함한 필요한 각종 검사들을 시행하고 적절한 광범위 항생제 투여를 시작한다. 급속 수액 소생 치료(40–60 mL/kg까지)에도 불구하고 쇼크 상태가 지속되는 경우 심혈관계 약물 사용을 시작한다. 심근기능부전 및 낮은 심장박출량을 보이는 경우 에피네프린이, 낮은 체혈관 저항의 패혈성 쇼크의 경우 노르에피네프린이 일차 선택 약이 된다. 고용량의 카테콜아민 약제 투여에도 지속적인 저혈압 및 부적절한 조직 관류 소견의 쇼크 상태가 지속되는 경우 바소프레신 투여를 고려할 수 있다. 수액 및 카테콜아민 약제 투여에도 지속적으로 잘 조절되지 않는 쇼크 상태가 지속되는 경우 부신기능부전을 동반한 경우일 수 있으므로 이러한 상태가 의심되는 경우 하이드로코티손 1–2 mg/kg를 정맥 주사한다. 하이드로코티손 투여 전에 가능하다면 혈중 코티솔 검사를 시행하도록 한다.

② 아나필락시스 쇼크

가장 주된 첫번째 치료는 과도한 히스타민 분비 및 그에 따른 알레르기 반응을 감소시키기 위한 에피네프린 투여이다. 필요시 10–15분 간격으로 반복 투여 또는 저용량의 지속 주입도 효과적이다(<0.05 umg/kg/min). 심한 혈관 부종에 의해 기도 폐쇄가 발생할 수 있으며 이에 대해 알부테롤 흡입 치료가 도움이 될 수 있다. 더 심한 상태로 진행하는 경우 기도 확보 및 필요시 기관내삽관, 인공호흡기 치료를 고려해주도록 한다. 에피네프린에 의해 순환 부전을 개선시켜 저혈압 발생을 예방 또는 회복시킬 수 있지만 급속 수액 소생 치료도 혈류역학적 안정상태로의 회복에 도움이 될 수 있다. 그 외에 항히스타민 제제(H1 차단제 다이펜하이드라민, H2 차단제 파모티민), 코티코스테로이드의 투여가 도움이 될 수 있다. 약 25–30%의

환자들에서는 급성기 증상 발생 수시간 뒤에 후기 증상이 다시 나타날 수 있으므로 적어도 수시간 동안은 지속적인 관찰을 요한다. 후기 증상은 급성기 증상이 심할수록 더 많이 나타나게 된다.

③ 신경성 쇼크

외상성 척수 손상에 의한 경우 출혈에 의한 손상도 같이 동반되어 있을 수 있다. 이 환아들에 있어서는 적절한 혈압을 유지해 주는 것이 조직 관류를 호전시켜 주는 데 매우 중요한 요소가 되므로 급속 수액 소생 치료, 필요시 수혈, 적절한 심혈관계 약물의 사용을 통해 혈압을 유지해 줄 수 있도록 한다. 척수 손상에 의한 서맥의 경우 외부 심장박동 조율기 적용 또는 아트로핀의 투여가 필요할 수 있다.

▶ 참고 문헌

1. A. J. Reddy, S. W. Lam, S. R. Bauer and J. A. Guzman: Lactic acidosis: Clinical implications and management strategies. Cleve Clin J Med 2015; 82:615–24
2. A. Lira and M. R. Pinsky: Choices in fluid type and volume during resuscitation: impact on patient outcomes. Ann Intensive Care 2014; 4:38
3. Zimmerman JJ, Rotta AT. Pediatric Critical Care. 6th ed. Elsevier;2021
4. Slonim AD, Pollack MM. Pediatric Critical Care Medicine. 1st ed. Lippincott Williams & Wilkins;2006
5. American Heart Association. 2020 PALS provider manual
6. D. S. Wheeler and H. R. Wong: Genetic approach to pediatric septic shock. Per Med 2008;5: 249–63

제 8 장

부정맥의 진단과 처치

1 빈맥

1) 소아 빈맥의 접근

영유아에서 분당 220회, 소아에서 분당 180회를 넘는 맥박을 빈맥으로 정의한다. 소아에서 빈맥과 함께 쇼크를 보이는 환자는 심폐기능이 저하된 환자의 치료 방침에 따라 심폐소생술을 시행한다. 소아의 빈맥은 매우 흔한 증상으로 주로 보호자에 의해 빠른 맥박이 목이나 손목 등에서 촉지되거나 아이를 안았을 때 빠른 맥이 느껴지는 경우 병원에 방문하게 된다. 빈맥이 의심되는 상황에서는 우선 빠른 환자 상태 파악이 필요하며 이어 심장리듬에 대한 평가가 필요하다. 대부분의 응급을 요하는 소아의 빈맥은 바로 진단되고 치료될 수 있어 의료진의 적절한 대처가 매우 중요하다.

2) 소아 빈맥의 원인

(1) 응급을 요하는 심장의 원인

가장 흔한 원인으로 소아의 빈맥을 일으키는 부정맥은 좁은 QRS 빈맥이다. 그 이외에도 넓은 QRS 빈맥, 비후성 심근병증, 심근염, 심낭삼출 및 심장눌림증 등을 들 수 있다.

(2) 응급을 요하는 심장 이외의 원인

심장 이외의 원인에 의해서도 소아 빈맥을 보일 수 있는데 산소 부족 및 저혈당, 저혈량쇼크, 전해질 불균형, 패혈증, 아나필락시스, 독성물질 등에 의해 빈맥을 보일 수 있다.

(3) 기타 소아 빈맥의 원인

급성 류마티스열, 갑상샘과다증, 가와사키병, 크롬친화세포종 등을 들 수 있다.

3) 좁은 QRS 빈맥

QRS 간격이 90밀리초(ms) 이하(25 mm/sec로 검사하는 표준심전도 작은 정사각형 2.5칸 이하)인 빈맥을 좁은 QRS 빈맥이라 한다.

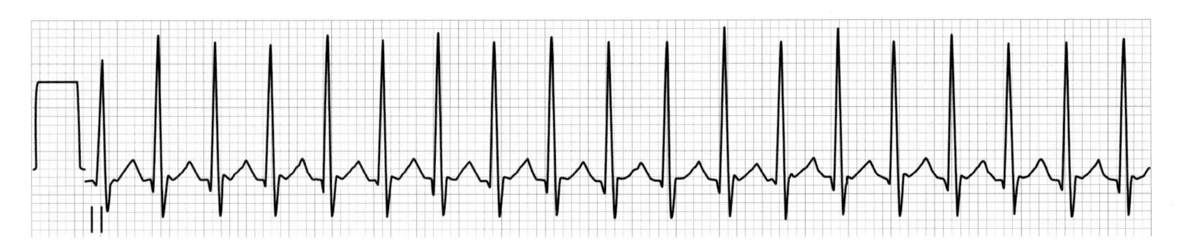

그림 8-1. 좁은 QRS 빈맥

(1) 동빈맥

좁은 QRS에 앞서 P파가 관찰되는 동빈맥은 주로 열이나 통증에 동반해 나타나는데 해당 원인을 파악하고 치료해야 한다. 또한 동빈맥은 소아 쇼크 환자에서 가장 흔히 보이는 소아 빈맥이다. 처음부터 쇼크의 원인이 될 수 있는 저산소증, 저혈당 등의 원인을 확인해야 하며 쇼크의 원인이 명백하지 않더라도 쇼크에 대한 치료는 바로 시작되어야 한다.

(2) 비 동빈맥

소아에서 P파가 보이지 않는 좁은 QRS 빈맥의 90%는 심실상 빈맥이다. 안정적인 심실상 빈맥 환자에서는 미주신경자극 수기(Vagal Maneuver)를 시행해 볼 수 있다. 이를 시행할 경우 실시간 심전도 모니터링을 한 상태에서 해야 하며 성공률은 60–90%에 달한다.

▶ 미주신경자극 수기(Vagal Maneuver)

아이스백(Ice Bag): 영유아에서 아이스백에 물과 얼음을 채워 얼굴 위에 15–30초간 적용한다.
발살바호흡(Valsalva Maneuver): 협조가 가능한 큰 소아에서 12–20초간 코를 막고 입을 닫은 상태에서 불어내기 혹은 막힌 빨대를 불어 숨을 내쉬려 하기 등을 시행해 볼 수 있다(그림 8–2).

그림 8-2. 발살바호흡

소아에서는 목동맥 마사지(Carotid Massage), 안구 압박(Orbital Pressure)은 시행하지 않는다.

정맥 투여가 즉시 가능할 경우 아데노신(Adenosine) 0.1 mg/kg (최대 6 mg) 투여가 가능하다. 첫 투여에 2분 이내에 반응이 없다면 0.2 mg/kg (최대 12 mg)을 투여해 볼 수 있다. 아데노신은 적혈구 표면에 있는 효소에 의해 빠르게 대사되기 때문에 빠르게 투여해야 하므로 주사기를 2개 준비하여 아데노신을 투여 후 빠르게 생리식염수 5 mL을 투여하여 체내에 도달할 수 있도록 한다 (그림 8-3). 아데노신 투여 시 환자는 똑바로 누워 지속적인 심전도 및 혈압을 모니터링 해야 한다. 매우 드물지만 조기흥분증후군(WPW syndrome) 환자에서 아데노신 투여는 심실세동으로 진행될 수 있는 심방세동을 유발할 수 있어 투여 시 만일의 상황에 대비하여야 한다. 천식 환자에서 심실상 빈맥의 치료 시 아데노신이 금기는 아니지만 급성 기관지연축이 유발될 수 있어 주의를 요한다. 심장 이식을 받은 환자에서 아데노신을 사용 시 일반적인 용량에서도 심실의 무수축 상태가 길어지는 경우가 있어 극도의 주의를 요한다. 환자의 상태가 안정적이지 못할 경우 동기화 심율동 전환(synchronized cardioversion [0.5–1 J/Kg])을 시행하여야 한다.

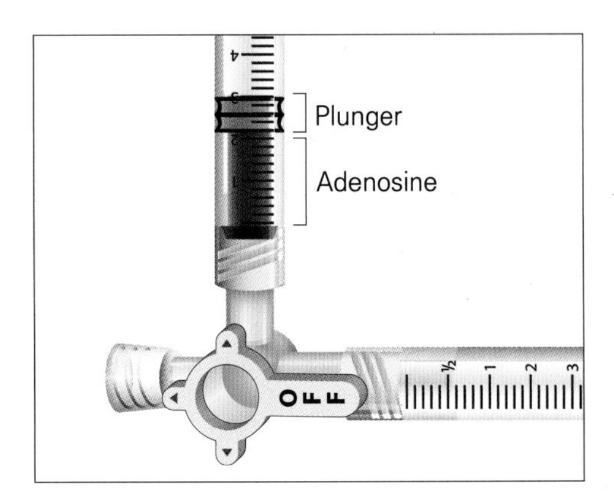

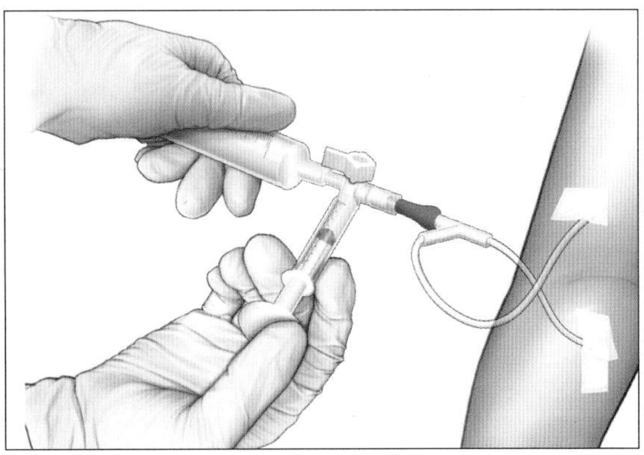

그림 8-3. 아데노신 정맥 투여

4) 넓은 QRS 빈맥

QRS 간격이 90밀리초(ms)를 넘는(25 mm/sec로 검사하는 표준심전도 작은 정사각형 2.5칸 이상) 빈맥을 넓은 QRS 빈맥이라 한다. 심실에서 기인하는 넓은 QRS 빈맥은 소아에서 매우 드물다. 심실빈맥은 전해질 이상, 선천성 심장병, 심근염, 심근경색, 약물 부작용 등에 의해서 나타날 수 있다. 특히 선천성 심장병으로 심장 수술을 받은 병력이 있는 환자에서는 이러한 부정맥의 빈도가 증가할 수 있다. 넓은 QRS 빈맥의 경우 심실 빈맥의 가능성을 생각하여 심장전문의에게 의뢰할 것을 고려해야 한다.

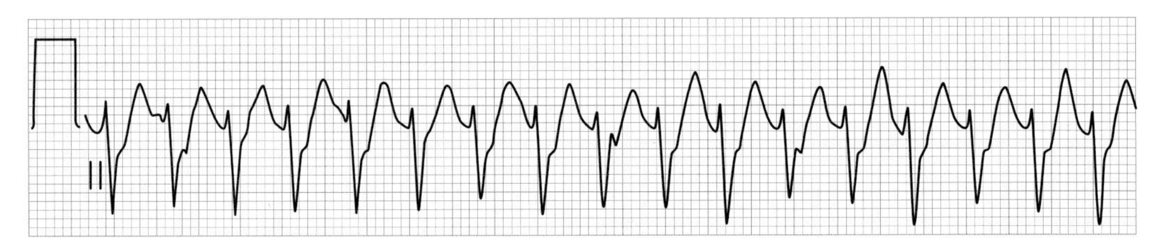

그림 8-4. 넓은 QRS 빈맥

(1) 환자의 상태가 안정적인 경우

넓은 QRS 빈맥 환자가 안정적인 혈역학적 상태일 경우 이 부정맥이 심실에서 기인한 것인지 아니면 심방에서 기인한 것인지를 확인하는 것이 필요하다. QRS 간격이 160 ms을 넘을 경우 심실 빈맥을 강하게 시사하는 소견이다. 하지만 작은 소아에서는 심실 빈맥에서도 QRS 간격이 짧을 수 있어 주의를 요한다. 심실상 빈맥이라 하더라도 심실에 이상전도가 있을 경우 넓은 QRS 빈맥의 심전도 소견을 보일 수 있어서 환자가 안정적일 경우 아데노신을 써 볼 수 있다. 다른 약물의 사용을 하기 전에 심장전문의에게 문의할 것이 권장된다. 전기적 심율동전환이 필요한 상황에서 환자가 의식이 있을 경우 약물을 사용해 진정시킨 후 0.5–1 J/Kg로 시작해서 2 J/Kg까지 시행해 볼 수 있다.

(2) 경험적 치료

혈역학적으로 안정적인 상실성 빈맥일 가능성이 있는 '단일형의 QRS 형태를 보이고 리듬이 규칙적인 넓은 QRS 빈맥에서' 아데노신 0.1 mg/kg (최대 6 mg)을 써 볼 수 있다. 아데노신에 반응을 할 경우 상실성 빈맥을 진단할 수 있다. 하지만 일부의 심실성 빈맥도 아데노신에 반응할 수 있는 점을 주의할 필요가 있다.

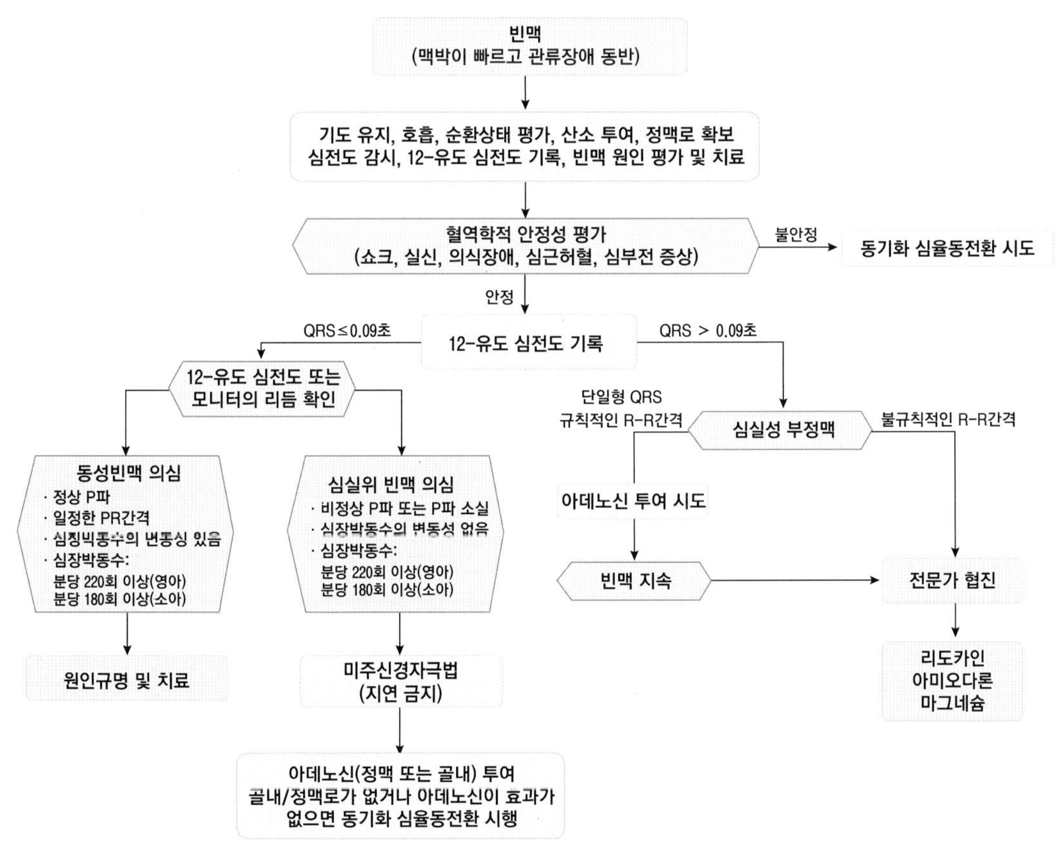

그림 8-5. 맥박이 만져지는 소아의 빈맥의 치료 순서

(3) 쇼크 상태의 환자

쇼크를 보이는 넓은 QRS 빈맥의 경우 심실성 빈맥으로 간주하고 치료하여야 한다. KPALS 가이드라인에 따라 심폐기능이 저하된 환자의 치료 방침에 맞게 소생술을 시행한다.

2 서맥

1) 소아의 정상 심박수

	하한선	정상	상한선
0 - 3 개월	107	123 - 164	181
3 - 6 개월	104	120 - 159	175
6 - 9 개월	98	114 - 152	168
9 - 12 개월	93	109 - 145	161
12 - 18 개월	88	103 - 140	156
18 - 24 개월	82	98 - 135	149
2 - 3 년	76	92 - 128	142
3 - 4 년	70	86 - 123	136
4 - 6 년	65	81 - 117	131
6 - 8 년	59	74 - 111	123
8 - 12 년	52	67 - 103	115
12 - 15 년	47	62 - 96	108
15 - 18 년	43	58 - 92	104

2) 서맥의 기준

깨어 있는 소아에서 측정한 심박수가 정상 심박수 범위 보다 낮은 것을 의미하며 연령별로 아래와 같이 생각해 볼 수 있다.

영유아: 분당 100회 미만

학동기 전 소아: 분당 80회 미만

학동기 소아: 분당 70회 소아

청소년: 분당 60회 미만

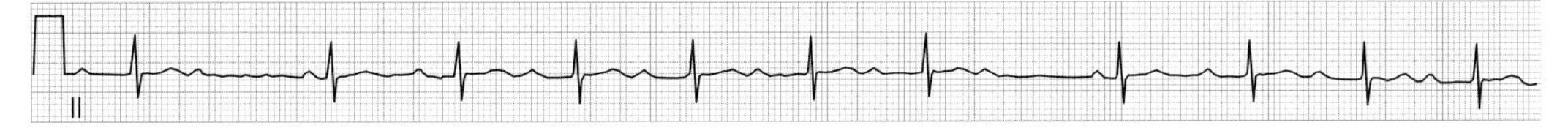

2nd degree AV block, Wenckebach type2

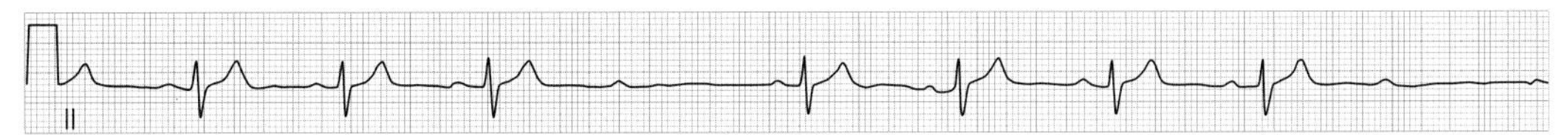

High degree AV block, 2:1 conduction

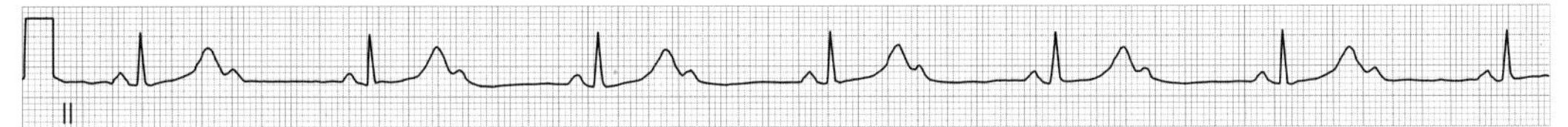

Complete AV block

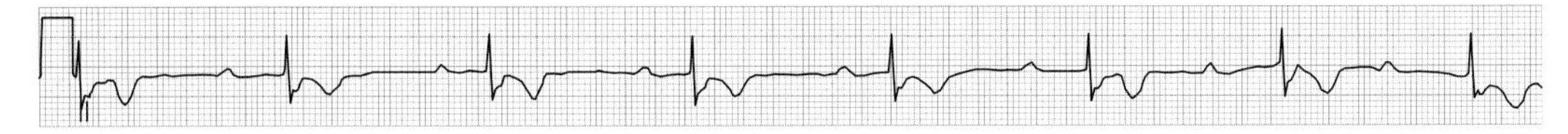

그림 8-6. 다양한 서맥성 부정맥

3) 서맥의 원인

(1) 미주신경 긴장도의 증가

미주신경의 과도한 증가는 동결절을 느리게 할 뿐만 아니라 방실결절을 통한 심장 전도를 느리게 한다.

(2) 약물

다양한 약물이 서맥의 원인이 될 수 있는데 이러한 약물들은 대부분 직접적으로 동결절, 방실결절 및 신경계에 영향을 미친다. 약물은 용량은 물론 투여 방법에 따라서 증상의 정도가 다를 수 있다. 서맥을 일으킬 수 있는 약물 중 코에 뿌리는 스프레이, 안약, 연고 제제를 입으로 먹었을 경우 심한 서맥을 보일 수 있어 환자의 상태를 파악할 때 주의 깊게 살펴보아야 한다.

(3) 선천성 심장병 수술 후

심장수술 혹은 심도자술과 같이 심장에 침습적인 치료를 받은 환자의 경우 심장의 전도계에 손상을 받을 가능성이 있다. 또한 선천성 심장병을 가진 경우 수술을 받지 않은 경우에도 서맥이 발생하는 경우가 있다.

4) 서맥의 치료

서맥의 치료는 환자의 임상양상에 따라 방향을 결정해야 한다. 관류 저하나 쇼크가 보이는 환자는 가이드라인에 따른 즉각적인 처치가 필요하다. 정신이 명료하고 혈압이 안정적인 환자는 서맥의 원인과 증상의 정도에 따라 치료 방향을 결정할 수 있다. 아무런 증상이 없고 건강한 동서맥의 경우 대부분 치료를 필요로 하지 않는다.

5) 관류 저하나 쇼크가 보이는 서맥의 치료

관류 저하나 쇼크가 보이는 환자는 기도 확보 및 산소 투여, 필요시 가압 환기를 해주고 심장모니터를 적용시킨다. 그럼에도 불구하고 분당 60회 이하의 서맥이 지속될 경우 심폐소생술을 시행한다. 이때 저산소증, 저체온증, 두부손상, 독성물질, 미주신경 긴장도 증가 등 가역적인 원인이 있는지 살펴봐야 한다.

(1) 약물

① 에피네프린

0.01 mg/kg (1:10,000농도에서 0.1 mL/kg)를 정맥으로 투여한다. 필요시 같은 용량을 3–5분 간격으로 투여할 수 있다. 한번에 투여할 수 있는 최대 용량은 1 mg이다.

② 아트로핀

0.02 mg/kg (최소용량 0.1 mg)을 정맥 투여한다. 반응이 없을 경우 한번 더 투약을 고려해 볼 수 있다. 서맥의 원인이 미주신경 긴장도 증가에 따른 방실 차단으로 생각될 경우 아트로핀은 에피네프린 전에 투여해야 한다.

(2) 심박동기

심장 전도 장애가 의심되거나 진단될 경우 심박동기 적용을 고려해 보아야 한다. 심박동기의 적용을 위해서는 특별히 훈련된 전문 인력과 장비가 필요하다.

① 경흉부박동

심박동기 적용이 필요한 대부분의 경우에서 가장 빠르게 적용할 수 있는 방법이다. 환자의 가슴에 박동패드를 부착시킨다(그림 8–7). 이때 필요시 심전도 모니터를 위한 패드의 위치를 조정한다. 이 방법은 응급 시 빠르게 적용할 수 있는 장점이 있지만 에너지 전달을 위한 박

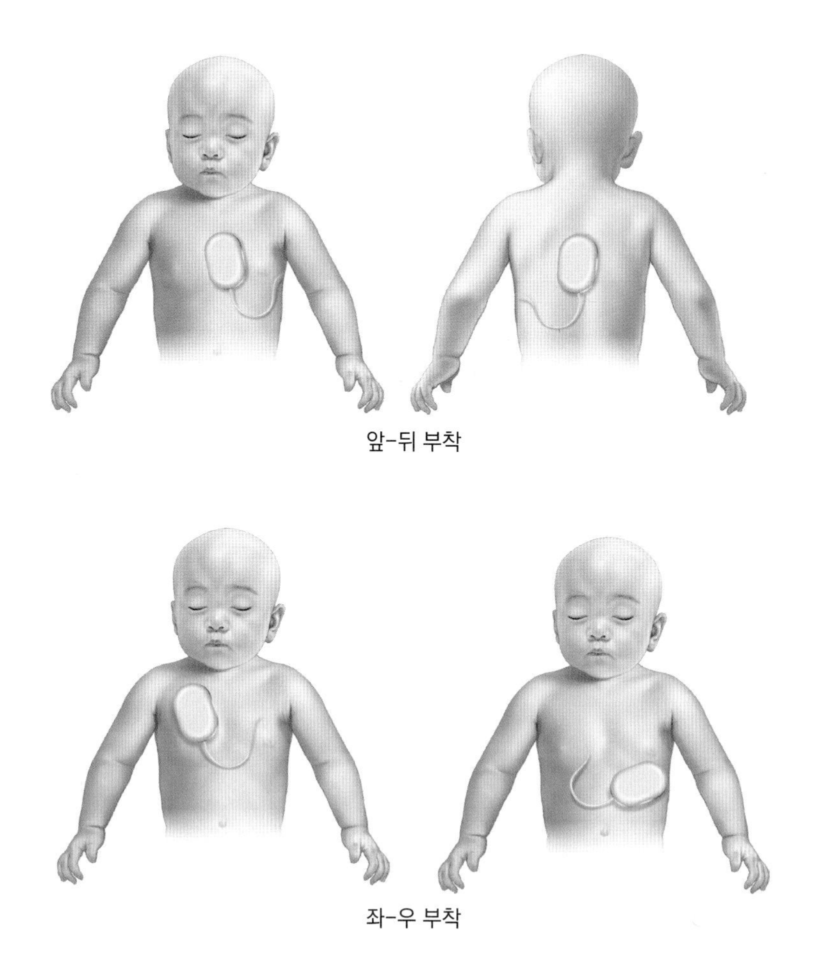

그림 8-7. 경흉부박동 심박동기 패드 부착 방법

동 역치(Capture Threshold)가 높고 환자가 불편하다는 문제가 있다. 이러한 단점들로 인해 의식이 없거나 약물로 진정 상태인 환자에서 경정맥박동 혹은 영구적으로 사용할 수 있는 심방동기 삽입 전까지 일시적인 사용이 권장된다.

② 경정맥박동

주로 대퇴동맥 혹은 경정맥을 통하여 박동기 리드를 심장 내에 위치시켜 외부의 심박동기와 연결하여 심박동을 실시한다.

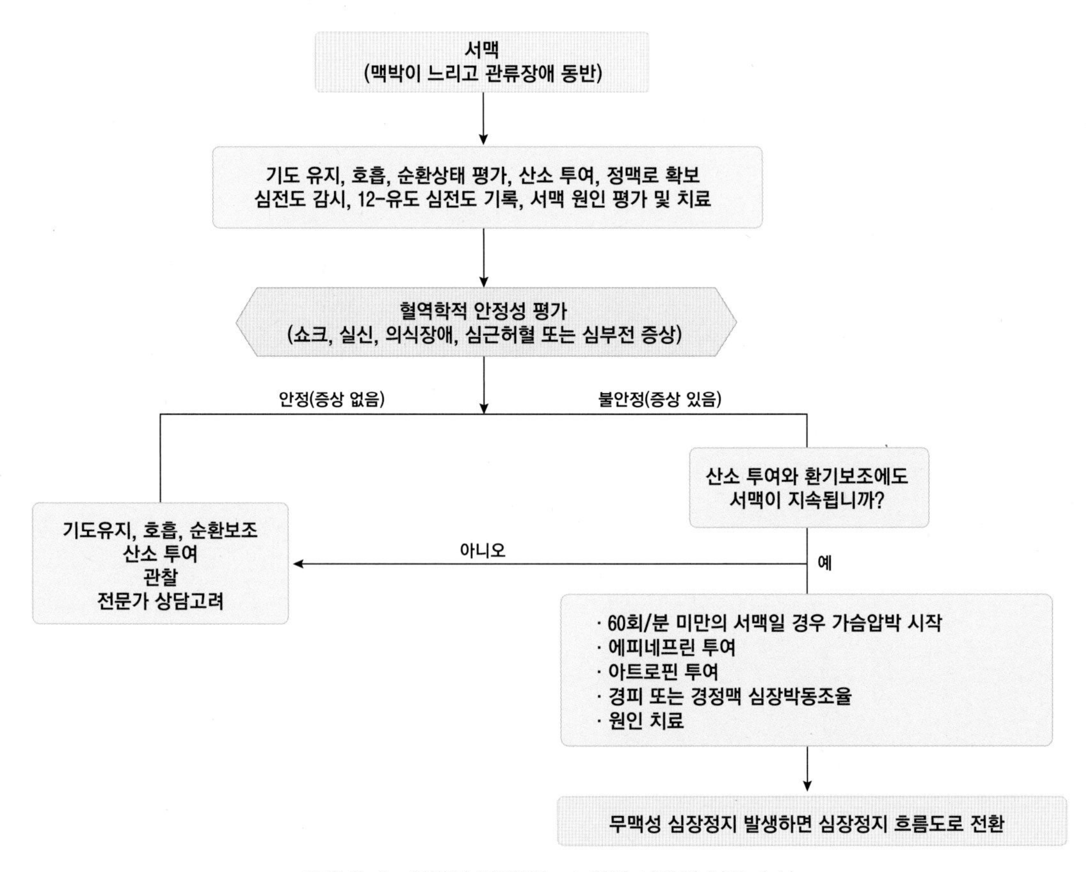

그림 8-8. 맥박이 만져지는 소아의 서맥의 치료 순서

▶ 참고 문헌

1. Doniger SJ and GQ Sharieff, Pediatric dysrhythmias. Pediatr Clin North Am. 2006;53:85–105
2. Chandar JS et al, Ventricular arrhythmias in postoperative tetralogy of Fallot. Am J Cardiol. 1990;65:655–61
3. Ackerman MJ et al, The long QT syndrome: ion channel diseases of the heart. Mayo Clin Proc. 1998;73:250–69
4. Garson A Jr. et al, Atrial flutter in the young: a collaborative study of 380 cases. J Am Coll Cardiol. 1985;6:871–8
5. Maron BJ. Hypertrophic cardiomyopathy in childhood. Pediatr Clin North Am. 2004;51:1305–46.
6. Bohn D and L Benson, Diagnosis and management of pediatric myocarditis. Paediatr Drugs. 2002;4:171–81.
7. Ko JK et al, Supraventricular tachycardia mechanisms and their age distribution in pediatric

patients. Am J Cardiol.1992;69:1028–32.
8. Garson A Jr., PC Gillette, and DG McNamara, Supraventricular tachycardia in children: clinical features, response to treatment, and long–term follow–up in 217 patients. J Pediatr. 1981;98:875–82.
9. Müller G., BJ Deal, and DW Benson Jr., "Vagal maneuvers" and adenosine for termination of atrioventricular reentrant tachycardia. Am J Cardiol 1994;74:500–3.
10. Sreeram N and C Wren, Supraventricular tachycardia in infants: response to initial treatment. Arch Dis Child. 1990;65:127–9.
11. Campbell M and SR Buitrago, BET 2: Ice water immersion, other vagal manoeuvres or adenosine for SVT in children. Emerg Med J. 2017;34:58–60.
12. Bisset GS 3rd, W Gaum and S Kaplan, The ice bag: a new technique for interruption of supra-ventricular tachycardia. J Pediatr, 1980;97:593–5.
13. Strickberger SA et al, Adenosine–induced atrial arrhythmia: a prospective analysis. Ann Intern Med. 1997;127:417–22.
14. DeGroff CG and MJ Silka, Bronchospasm after intravenous administration of adenosine in a patient with asthma. J Pediatr. 1994;125:822–3.
15. Paul T and JP Pfammatter, Adenosine: an effective and safe antiarrhythmic drug in pediatrics. Pediatr Cardiol. 1997;18:118–26.
16. Marill KA et al, Adenosine for wide–complex tachycardia: efficacy and safety. Crit Care Med. 2009;37:2512–8.
17. Lerman BB et al, Adenosine–sensitive ventricular tachycardia: evidence suggesting cyclic AMP–mediated triggered activity. Circulation. 1986;74:270–80.
18. Fleming S et al, Normal ranges of heart rate and respiratory rate in children from birth to 18 years of age: a systematic review of observational studies. Lancet. 2011;377:1011–8.
19. Rijnbeek PR et al, New normal limits for the paediatric electrocardiogram. Eur Heart J. 2001;22:702–11.
20. Saarel EV et al, Electrocardiograms in Healthy North American Children in the Digital Age. Circ Arrhythm Electrophysiol. 2018;11:e005808.

제 9 장

심장정지 후 통합치료

1 심장정지 후 증후군

심장정지 후 자발순환회복이 일어난 환자에게는 심장정지에 의한 허혈손상과 자발순환에 의한 재관류 손상이 동시에 나타나며 여러 장기에 걸친 복잡한 변화가 발생하는데 이를 '심장정지 후 증후군(Postcardiac arrest syndrome)' 이라고 한다. 심장정지 후 증후군은 '1) 심장정지 후 뇌 손상, 2) 심장정지 후 심근이상, 3) 전신 허혈/재관류 반응 4) 원인 질환의 지속적인 악화'의 4가지 요소로 구성된다. 각 요소의 기여 정도에 따라 임상 경과가 다양하게 나타나므로 이를 고려한 치료가 필요하다.

2 심장정지 후 통합치료

자발순환회복 이후 나타날 수 있는 여러 질병상태를 예방하거나 추가 손상을 방지하기 위한 호흡기계, 심혈관계, 신경계를 포함한 전 영역에서의 체계적인 통합치료를 심장정지 후 통합치료라고 한다.

심장정지 후 통합치료는 소생술과 더불어 환자의 예후를 결정하는 필수적인 요소로 심장정지 후 통합치료는 자발순환회복 직후 혈역학적 상태와 호흡을 안정시키는 초기치료로부터 신경계를 포함한 다발성 장기부전을 예방하기 위한 집중치료까지의 일련의 치료과정을 포함하며 감시와 치료가 용이한 중환자실에서 이루어져야 한다.

심장정지 후 통합치료는 다음의 목표를 지닌다.
- 기도확보, 환기, 산소화 및 심폐기능 안정화를 통한 장기의 관류와 기능의 회복
- 추가 손상의 예방
- 급성질환의 원인 치료
- 장기적 예후를 개선시키기 위한 치료
- 상위 의료기관으로의 이송 간 피해의 최소화

이를 위한 통합치료의 과정은 다음의 요소로 요약할 수 있다(표 9-1).
- 적절한 환기와 산소화
- 조직관류와 심혈관기능의 유지
- 저혈압 방지
- 산/염기, 전해질 불균형 교정
- 적절한 혈당 유지
- 목표체온 유지치료
- 적절한 수준의 진정과 진통 상태 유지

1) 호흡기계 관리

호흡기계는 장기기능을 원활하게 유지하고 추가 손상을 예방하기 위해 반드시 적절히 유지되어야 한다. 효율적인 산소화와 환기를 위해 임상적인 징후와 객관적인 자료를 지속적으로 수집하고 이에 따라 적절하게 대처한다(표 9-2).

2) 심혈관계 관리

심장정지로 인한 조직허혈과 자발순환회복 이후의 재관류 손상은 순환기계의 기능이상을 초래한다. 또한 부족한 혈관 내 용적, 혈관 저항의 감소, 기절심근 현상에 의해 이차적 손상도 발생할 수 있다. 따라서 조직에 산소를 공급하고 대사물질을 적절히 처리하기 위해 혈압, 심박출량, 혈류 등을 정상적으로 유지하고 분배하려는 노력이 필요하다(표 9-3).

(1) 소생 후 쇼크의 치료

소생 후 쇼크에는 여러 병태생리가 작용한다. 심인성 쇼크는 심근기능의 저하와 함께 체/폐혈관 저항이 보상적으로 상승하는데 이는 좌심실의 후부하를 가중시켜 더 위험해질 수 있다. 조기 패혈성 쇼크는 체혈관 저항이 반대로 감소한다. 수액에 반응하지 않는 심한 패혈성 쇼크의 경우 심

표 9-1. 심장정지 후 통합치료 체크리스트

심장정지 후 통합치료 항목
산소화와 환기
산소포화도 측정 및 적정 산소포화도 유지(94-99% 혹은 환자상태에 따라)
$PaCO_2$ 측정 및 환자상태에 따른 적정 수치 유지
혈역학적 감시
혈역학적 목표 설정과 정기적인 재평가
지속적 심전도 감시
지속적 동맥압 감시
젖산, 요량, 중심정맥산소포화도 감시
연령/성별 대비 5 백분위수 이상의 수축기혈압 유지(수액요법, 승압제 사용)
목표체온 유지치료
지속적 중심체온 감시
발열에 대한 예방과 적극적 치료
혼수상태의 환자에게 목표체온 유지치료 시행
목표체온 유지치료 중 떨림방지
재가온 동안 저혈압 예방 및 치료
신경계 감시
뇌병증이 동반된 경우 가능한 지속적 뇌파감시
경련발작 치료
치료 가능한 원인을 찾기 위한 조기 뇌영상
전해질 및 혈당
혈당 감시 및 저혈당 방지
부정맥 예방을 위한 적정 전해질 수치 유지
진정
진정과 진통제 사용
예후
다양한 평가방법 사용
목표체온 유지치료가 사정결과에 미치는 영향 고려
심장정지 후 일주일 내 뇌파 시행 고려
심장정지 후 일주일 내 뇌 MRI 시행 고려

표 9-2. 호흡기계 평가와 치료

평가	
감시	산소포화도, 심박수, 심전도 리듬 가능한 경우 호기말 이산화탄소분압(EtCO_2) 기관내삽관 되어있는 경우 기관내관의 위치, 개통성, 고정여부
신체검진	흉부의 대칭적 상승 비정상적/비대칭적 호흡음 감시 호흡 부전의 징후(빈호흡, 호흡 노력 증가, 불안, 감소된 반응성, 청색증) 감소된 호흡 노력
실험실 검사	동맥혈 가스검사; 기계환기의 경우 초기 기계세팅의 적절성을 확인하기 위해 10-15분 후 동맥혈 가스검사를 시행 EtCO_2를 감시하는 경우 호기말 이산화탄소 분압과 동맥혈 가스검사에서의 이산화탄소 분압을 비교
기타 검사	흉부 X-ray; 기관내관의 깊이, 치료가 필요한 상황(기흉, 흡인 등)
치료	
산소화	자발순환회복 후 SpO_2 94-99% 유지 기관내삽관되어 있지 않은 경우 적절 산소포화도 유지를 위해 부분재호흡마스크 혹은 비재호흡마스크를 이용하여 추가 산소 공급 100% 산소 공급에도 산소포화도가 적절하지 않은 경우 호기말양압(PEEP)을 동반한 비침습적 혹은 침습적 호흡법 적용고려 청색증형 심장기형이 동반된 환자의 경우 기저 산소포화도와 임상상황을 고려하여 적절 산소포화도 목표를 설정
환기	$PaCO_2$ 목표: 35-45 mmHg(환자의 병전 폐기능이 정상인 경우) 적절 $PaCO_2$는 상황에 따라 다를 수 있음(기저질환에 따라 목표치 개별화) 영아는 분당 30-40회, 소아는 분당 20-30회의 호흡수 뇌탈출증이 임박한 경우를 제외하고 일상적인 과호흡 제한 과도한 고탄소혈증/저탄소혈증 제한
기계환기	산소 공급과 다른 시도들이 적절한 산소화와 환기를 이루어내지 못한 경우 기관내삽관을 시행 기관내관의 위치, 개통성, 고정여부 기관내관의 공기누출 여부: 누출이 심할 경우 내경이 크거나 커프가 있는(cuffed) 기관내관으로의 변경을 고려 커프압력: 20-25 cm H_2O 미만 유지 연령과 체중에 맞는 기계환기 세팅의 필요 위 팽창의 방지를 위한 위관삽입
진정/진통	진정(미다졸람 midazolam, 로라제팜 lorazepam), 진통제(펜타닐 fentanyl, 몰핀 morphine)의 사용으로 적절한 진정 수준 유지 저혈압, 혈역학적 불안정 등의 부작용에 유의하며 사용
근이완	기관내삽관 후 진정하 기계환기에도 적절한 산소화/환기가 되지 않는 경우 고려 - 높은 기도저항, 낮은 폐유순도에 의한 최고흡기압의 증가 - 환자-기계 간 비동시성 - 어려운 기도(difficult airway) 삽관합병증(DOPE: 이탈, 폐색, 기흉, 장비고장) 우선 배제 베큐로늄 vecuronium, 로큐로늄 rocuronium, 판큐로늄 pancuronium 반드시 적절한 진정/진통제와 함께 사용

* DOPE: Displacement, Obstruction, Pneumothorax, Equipment failure

표 9-3. 심혈관계 평가와 치료

평가	
감시	심박수와 리듬 혈압과 맥압(침습적 혹은 비침습적 방법 사용) 산소포화도(pulse oximetry) 요량 체온 추가 고려: 중심정맥압, 중심정맥산소포화도, 지역적 산소화(근적외선 분광산소포화도), 심장기능(심초음파)
신체검진	심음, 맥박, 모세혈관 재충혈시간, 사지 체온과 색깔
실험실 검사	혈액가스검사 혈색소(Hb)/적혈구용적률(Hct) 혈청 포도당, 전해질, 혈액요소질소(BUN), 크레아티닌, 칼슘 젖산, 중심정맥산소포화도
기타 검사	흉부 X-ray: 기관내관의 깊이, 심장 크기, 폐부종 등 12 유도 심전도: 부정맥, 심근허혈 심초음파: 심근기능저하, 심장눌림증
치료	
혈관내용적	주사로 확보: 정맥주사로 혹은 골내주사로 혈관내 용적이 불충분한 경우 일시주입 투여고려 - 체중당 10-20 mL의 결정질용액(crystalloid)을 5-20분에 걸쳐 투여 - 심부전 상황에서는 적은 양 투여 가능(체중당 5-10 mL) - 심근기능저하, 심부전, 호흡 부전 등의 상황에서 수액 과투여 주의 교질용액(colloid) 혹은 혈액제제 투여고려 일시주입 후 적절한 유지용액의 투여
혈압	추가 손상의 예방을 위한 저혈압의 적극적인 교정 수액, 혈관작용제 사용고려 수축기혈압을 연령의 5백분위수 이상으로 유지 - 수축기혈압공식: 70 mmHg + 연령 x 2 (1-10세의 소아연령에서 사용) 패혈증 등의 과도한 혈관이완의 상황에서 조기 혈관수축제사용 고려
조직 산소화	관류의 지지를 위한 적절한 산소화 필요 자발순환회복 후 SpO_2 94-99% 유지 목표 수치의 달성을 위해 충분한 농도의 추기산소 공급 고려 적혈구용적률이 낮고 산소전달이 불충분한 징후가 있을 경우 적혈구 수혈 고려
대사 요구도	호흡 노력을 줄이기 위해 기관내삽관,보조호흡 고려 진통과 진정 – 저혈압(약물 부작용) 주의 해열제와 외부냉각을 이용한 발열치료
부정맥	빈맥과 서맥의 적극적인 감시와 치료 서맥 발생 시 적절한 산소화, 환기 제공. 심박수가 60회 미만이면서 관류저하의 소견이 보이면 CPR 재시작(단, 저체온에 의한 서맥 배제 필요). 부정맥이 지속될 경우 알고리듬에 근거한 약물요법, 전기적충격요법 시행 부정맥의 관리를 위한 전문과 협진의뢰
심기능이상	자발순환회복 후 24시간 내에 발생하기 쉬운 심근기능저하 대비 혈압이 유지되는 경우 수축력을 향상시키고 후부하를 감소시키는 약물사용고려 산증, 저칼슘혈증, 저혈당 등 심근기능에 영향을 미치는 요소 교정 좌심기능의 개선을 위한 양압환기 고려

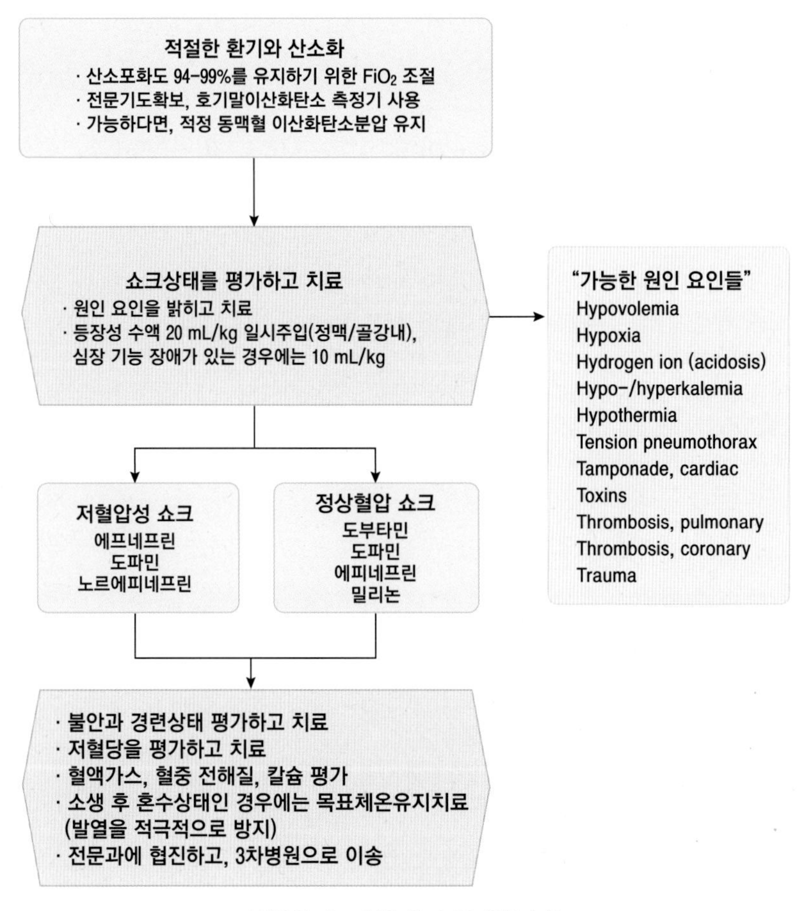

그림 9-1. 소생 후 쇼크 치료순서

인성 쇼크처럼 심근기능 저하와 체혈관 저항의 상승이 동반될 수도 있다. 그림 9-1의 알고리즘에 따라 쇼크를 적절하게 평가하고 치료한다.

① 적절한 환기와 산소화(1단계)

심혈관 기능을 정상적으로 유지하기 위해서는 적절한 환기와 산소화가 필수적이다. 전문기도를 확보하고 파형 호기말이산화탄소 측정기 사용을 고려한다. 이산화탄소분압의 목표를 환자의 상태에 따라 개별화하되 너무 높거나 낮지 않게 설정한다. 산소포화도는 흡입산소분율(FiO_2)를 조절하여 94-99%로 설정한다.

② 쇼크상태의 평가와 치료(2단계)

쇼크 치료의 첫 단계는 등장성 결정질용액의 투여이다. 정맥 혹은 골내 주사를 이용하여 체중당 20 mL의 수액을 일시주입한다. 심근기능의 장애가 예상되는 경우 적은 양을(체중당 5–10 mL) 10–20분에 걸쳐 투여한다. 일시주입이 끝날 때마다 치료반응을 면밀하게 관찰한다. 간비대, 폐부종, 경정맥확장, 심비대 등의 심기능의 저하를 시사하는 징후가 관찰되면 수액투여의 필요성을 재평가한다. 수액요법에 반응하지 않는 쇼크일 경우 심장수축촉진제나 혈관수축제의 사용을 고려한다.

③ 가능한 원인 요인들(3단계)

심장정지 후 쇼크에 기여할 수 있는 교정가능한 원인들을 찾고 이를 교정한다(5H와 5T).

소아 심장정지의 가역적 원인	
5H	Hypothermia (저체온) Hypoxia (저산소혈증) Hypovolemia (저혈량) Hyperkalemia/hypokalemia (고칼륨혈증/저칼륨혈증) Hydrogen ion-acidosis [수소이온(산혈증)]
5T	Tamponade (심장눌림증) Thrombosis-pulmonary or cardiac [혈전증(폐동맥, 심혈관)] Toxin (약물중독) Tension pneumothorax (긴장기흉) Trauma (외상)

④ 저혈압성 쇼크(4단계)

수액 일시주입 후에도 저혈압 상태가 유지될 경우 다음의 약물투여를 고려할 수 있다. 투여약물은 쇼크의 원인에 맞추어서 선택해야 하며 투여에 앞서 전부하는 충분한지 평가하여야 한다. 과도한 약물 투여는 오히려 심근의 산소요구량을 증가시키는 부작용을 일으킬 수 있다.

▶ 에피네프린 epinephrine

분당 0.1–1 ug/kg (정맥/골내)

에피네프린은 강력한 혈관작용제로 주입용량에 따라 체혈관저항을 감소시키거나 증가시킨다. 저용량에서는 베타 교감작용으로 심박수와 수축력을 증가시키고 혈관을 이완시킨다. 고용량에서는 알파 교감작용으로 혈관 수축을 일으킨다. 에피네프린은 개인별로 약물 반응 정도가 다르므로 기대효과를 달성하기 위해 약물용량을 수시로 조절해야 한다. 심한 순환장애를 보이거나 영아의 경우 도파민보다 더 효과적인 약물로 알려져 있다.

▶ 도파민 dopamine

분당 2–20 ug/kg (정맥/골내)

도파민은 에피네프린과 비슷하게 주입속도에 따라 저용량에서는 심박수, 수축력을 증가시키고 혈관을 확장시키며 고용량에서는 혈관 수축 작용을 나타낸다. 빈맥, 심실 기외수축의 부작용이 있어 주의가 필요하다.

▶ 노르에피네프린 norepinephrine

분당 0.1–2 ug/kg (정맥/골내)

노르에피네프린은 강력한 심장수축작용과 말초혈관수축작용을 동시에 나타낸다. 수액요법에 반응하지 않는 혈관확장성 쇼크(패혈성, 아나필락시스성, 척수성)에 사용할 수 있다.

⑤ 정상혈압성 쇼크(5단계)

환자의 혈압이 낮지는 않지만 관류저하의 소견이 있는 경우 다음의 약물 투여를 고려할 수 있다.

▶ 도부타민 dobutamine

분당 2–20 ug/kg (정맥/골내)

도부타민은 베타 1교감신경에 작용하여 심장수축력을 증가시키고 체혈관저항을 감소시켜 심근기능 저하로 인한 이차적 수축저하에 대한 치료제로 사용할 수 있다. 도파민과 같이 고농도에서 빈맥과 심실 기외수축이 발생할 수 있다.

▶ 도파민 dopamine, 에피네프린 epinephrine

도파민과 에피네프린은 저용량에서 심장수축력을 높이고 체혈관저항을 감소시켜 관류저하에 대한 치료제로 선택될 수 있다.

▶ 밀리논 milrinone

10–60분에 걸쳐 50 ug/kg 부하(정맥/골내) 이후 분당 0.25–0.75 ug/kg

심장수축 혈관확장제인 밀리논은 심박수와 심근의 산소요구량에 거의 영향을 주지 않고 심박출량을 증가시키므로 심기능 저하와 체/폐혈관저항이 증가된 쇼크에서 사용할 수 있다. 혈관확장 효과로 저혈압을 일으킬 수 있어 수액투여가 필요할 수 있다. 반감기가 4.5시간으로 길고 신장으로 배설되므로 사용 시에 주의를 요한다.

⑥ 기타 고려사항들(6단계)

불안과 경련상태에 대해 평가하고 치료하며 혈당을 평가하여 저혈당에 빠지지 않게 한다. 혈액가스, 혈청 전해질, 칼슘을 주기적으로 평가하여 대사교란을 적극적으로 교정한다. 소생 후 혼수상태를 보이는 환자에게는 목표체온 유지치료를 시행하며 발열에 대해 적극적으로 대처한다. 전문과에 협진을 의뢰하면서 작은 규모의 의료기관이라면 상급 의료기관으로의 이송을 고려한다.

3) 신경계 관리

심장정지 후 통합치료에서 호흡 및 혈역학적 안정과 더불어 또 하나의 중요한 축은 뇌기능을 안정적으로 유지하는 것이다. 자발순환회복 후에도 발생할 수 있는 이차적인 손상을 대비하며 다음의 항목을 감시하고 적극적으로 치료한다(표 9-4).

(1) 목표체온 유지치료(Targeted Temperature Management, TTM)

발열은 허혈성 뇌손상으로부터의 회복에 부정적인 영향을 미친다. 체온이 섭씨 1도 증가할 때마다 산소요구도는 10-13% 상승하며 이러한 대사요구도의 증가는 신경학적 손상을 악화시킨다. 또한 발열은 각종 염증물질, 세포독성효소, 신경전달물질의 방출을 증가시켜 추가적인 신경손상을 유발한다. 따라서 심장정지 후 자발순환이 회복된 혼수 환자에게 발열이 생기지 않도록 적극적으로 체온을 감시하고 통제할 필요가 있다.

냉각장치로 체온을 일정하게 유지시키고 38도 이상의 체온은 해열제와 외부냉각 등을 이용하여 떨어뜨린다. 저혈압이 유발되지 않는 이상 섭씨 32도에서 37도 내의 체온은 적극적으로 올리지 않는다.

체온을 일정하게 유지하기 위한 목표체온 유지치료는 다음과 같이 시행할 수 있다. 5일간 섭씨 36도에서 37.5도의 정상체온을 유지하거나 이틀간 섭씨 32도에서 34도를 유지하고 이후 3일간 정상체온을 유지하는 두 가지 방법을 고려할 수 있다. 재가온 시에는 2시간에 섭씨 0.5도 미만으로 체온을 상승시킨다.

저체온 유도 시 떨림이 발생할 수 있다. 진정제나 근이완제로 예방하거나 중단시킬 수 있지만 이 경우 경련 감시를 위해 뇌파를 확인한다. 심박출량 감소, 부정맥, 감염, 췌장염, 응고장애, 혈소판감소, 저인산혈증, 저마그네슘혈증 등의 부작용에 대해 감시한다.

Information 대표적인 목표체온 유지치료 요법

1. 5일간 섭씨 36도에서 37.5도의 정상체온을 유지
2. 이틀간 섭씨 32도에서 34도를 유지하고 재가온 이후 3일간 정상체온을 유지
   (재가온 시 2시간에 섭씨 0.5도 미만으로 체온을 상승)

표 9-4. 신경계 평가와 치료

평가	
감시	체온(저관류상태에서는 직장, 방광, 식도 등에서 중심체온 측정 고려) 심박수와 혈압
신체검진	빈번한 신경학적 검사(GCS, 동공반사 등의 뇌간반사, 자세) 뇌탈출증 징후: 동공반사이상, 자세, 쿠싱반사, 반응저하 경련발작 징후 호흡상태
실험실 검사	혈청 포도당, 전해질, 이온화칼슘 신경계 감염 의심 시 뇌척수액 분석(혈역학적 불안정 상태 시 연기) 필요시 혈청 항경련제 농도 필요시 독성학적 연구
기타 검사	신경계 이상이 의심될 경우 뇌 CT 고려 경련 의심될 경우 뇌파 고려(심장정지 후 일주일 내의 뇌파는 퇴원 시 신경학적 예후의 예측자료로 사용 가능)
치료	
뇌관류	뇌관류를 위한 적절 심장수축력과 동맥산소포화도 유지 뇌탈출증이 임박한 경우를 제외하고 일상적인 과호흡 제한
혈당	저혈당 교정 고혈당 악화요인 교정 저혈당에 주의하며 지속적인 고혈당 교정
목표체온 유지치료	(1) 목표체온 유지치료(TTM) 참고
뇌압상승	혈압 불안정 및 기타 금기사항이 없는 경우 30도 두부거상 두부 중앙위치(midline head) 정상이산화탄소 수치의 유지를 위한 적절한 환기요법 뇌탈출증 임박징후**를 보이는 경우 짧은 시간 동안의 과환기요법 고려 - 지속적인 과환기요법은 뇌허혈 유발 만니톨, 고장성 생리식염수 투여 뇌압감시에 대해 전문과 협진 의뢰
경련	경련발작에 대한 적극적 치료 교정 가능 원인에 대한 치료(저혈당, 저나트륨혈증, 저칼슘혈증) 전문과 협진 의뢰 필요시 독성물질이나 대사물질의 제거

* GCS: Glasgow coma scale

** 뇌탈출증 임박징후: 불규칙 호흡양상, 무호흡, 서맥, 고혈압, 동공반사 소실된 동공부동이나 동공확장(anisocoria), 제피/제뇌자세

▶ 참고 문헌

1. 질병관리청, 대한심폐소생협회. 2020년 한국심폐소생술 가이드라인. 2020
2. American Heart Association. (2020). PALS Provider Manual eBook, International English. American Heart Association. https://ebooks.heart.org/ko/product/ive-pals-provider-manualebook-international-english
3. Neumar RW, Nolan JP, Adrie C, et al. Post-cardiac arrest syndrome: epidemiology, pathophysiology, treatment, and prognostication. A consensus statement from the International Liaison Committee on Resuscitation (American Heart Association, Australian and New Zealand Council on Resuscitation, European Resuscitation Council, Heart and Stroke Foundation of Canada, InterAmerican Heart Foundation, Resuscitation Council of Asia, and the Resuscitation Council of Southern Africa); the American Heart Association Emergency Cardiovascular Care Committee; the Council on Cardiovascular Surgery and Anesthesia; the Council on Cardiopulmonary, Perioperative, and Critical Care; the Council on Clinical Cardiology; and the Stroke Council. 2008;118(23):2452-83
4. Topjian AA, French B, Sutton RM, et al. Early postresuscitation hypotension is associated with increased mortality following pediatric cardiac arrest. Crit Care Med 2014;42(6):1518-23

부록 ▶▷ PALS에서 사용되는 약물 

소생술팀에 약사가 포함되어 사용되는 약물과 용량을 관리하는 것을 추천드립니다.

의약품	분류	적응증	용량/투여	가능한 부작용	고려 사항
아데노신 Adenosine	항부정맥제	심실상빈맥 Wide QRS 빈맥	1차 용량 0.1 mg/kg (최대 6 mg) 신속 정주 2차 용량 0.2 mg/kg (최대 12 m) 신속 정주	현기증, 두통, 미각변화, 숨가쁨, 저혈압, 심박수 변화, 메스꺼움, 홍조, 발한	심박수 모니터링하면서 심장과 가까운 정맥에 약물투여 후 식염수 추가 정주
아미오다론 Amiodarone	항부정맥제	불안정한 심실상빈맥 또는 심실빈맥 무맥성 심실빈맥 또는 심실세동	불안정한 심실상빈맥 또는 심실빈맥 5 mg/kg (최대 300 mg) 20-60분 동안 지속 정주 무맥성 심실빈맥 또는 심실세동 5 mg/kg (최대 300 mg) 정주	두통, 현기증, 떨림, 실신, 저혈압, 서맥, 심부전, 메스꺼움, 구토, 설사, 발진, 피부 변색, 탈모, 홍조, 혈액응고 문제	심전도, 혈압 모니터링 빠른 주입은 저혈압을 유발 간부전 환자는 주의 2도 또는 3도 방실 차단 환자는 금기 QT 간격을 연장할 수 있는 약물과 병용 사용 금기
아트로핀 Atropine sulfate	항콜린제	증상이 있는 서맥	0.02 mg/kg (최대 0.5 mg) 정주 3-5분마다 반복 투여 가능 소아 최대 1 mg 청소년 최대 3 mg) 0.04-0.06 mg/kg ETT 투여	두통, 현기증, 혼돈, 불안, 홍조, 시력 장애, 동공 확장, 구강 건조, 빈맥, 고혈압 또는 저혈압, 메스꺼움, 구토, 변비, 배뇨통, 발진, 피부 건조	심전도, 산소포화도, 혈압 모니터링 서맥인 경우 기관내 삽관 전에 투여 가능

의약품	분류	적응증	용량/투여	가능한 부작용	고려 사항
에피네프린 Epinephrine	카테콜아민 승압제	아나필락시스, 천식, 증상이 있는 서맥, 심한 저혈압, 심장정지	아나필락시스: 15분마다 0.01 mg/kg 정주 (최대 0.3 mg) 천식: 15분마다 (1:1000) 0.01 mg/kg (최대 0.3 mg) 피하 주사 증상이 있는 서맥: 3-5분마다 0.01 mg/kg 정주 (소아 최대 1 mg) 까지 심장정지: 3-5분마다 0.01 mg/kg 정주 또는 0.1 mg/kg ETT 투여	떨림, 불안, 두통, 현기증, 혼돈, 환각, 호흡 곤란, 빈맥, 두근거림, 고혈압, 메스꺼움, 구토, 고혈당, 저칼륨혈증, 혈관수축	1:1,000 및 1:10000 농도로 제공되므로 농도에 주의하여 투여 심전도, 산소포화도, 혈압 모니터링 심장과 가까운 정맥에 약물투여 후 식염수 추가 정주
알부테롤 Albuterol	기관지 확장제	천식, 기관지경련 고칼륨혈증	체중 < 20 kg 2.5 mg 체중 >20 kg 5 mg	떨림, 불안, 두통, 나쁜 맛, 코/인후 건조, 호흡 곤란, 천명, 빈맥, 저혈압, 메스꺼움, 구토, 홍조	심전도, 산소포화도, 혈압 모니터링 빈맥 환자는 금기
덱사메타손 Dexamethasone	스테로이드	크룹, 천식	0.6 mg/kg (최대 16 mg) 정주	두통, 불면증, 발작, 정신병, 시각장애, 고혈압, 부종, 빈맥, 골다공증, 설사, 메스꺼움, 위장관 출혈, 홍조, 발한, 상처 치유 불량, 고혈당, 나트륨 및 체액 저류, 출혈, 저길륨혈증	
덱스트로스 Dextrose	포도당	저혈당	0.5–1 g/kg 정주	정맥 경화증, 고혈당	혈당 측정 후 저혈당 에 의한 응급상황인 경우 사용

의약품	분류	적응증	용량/투여	가능한 부작용	고려 사항
다이펜하이드라민 Diphenhydramine	항히스타민제	에피네프린 후 아나필락시스	최대 50 mg 까지 4-6시간마다 1-2 mg/kg	현기증, 졸음, 중추신경계 증상, 시야흐림, 동공확장, 코/입/목 건조, 저혈압, 빈맥, 메스꺼움, 구토, 요폐 또는 빈도 광과민성	녹내장, 궤양, 갑상선기능항진증이 있는 경우 주의해서 사용
도부타민 Dobutamine	베타 아드레날린성 승압제	심부전	2-20 µg/kg/min 적정하며 정주	두통, 현기증, 저혈압, 두근거림, 협심증, 구역, 구토 혈소판감소증	심전도, 혈압 모니터링
도파민 Dopamine	카테콜아민 승압제	심인성 또는 분포성 쇼크	2-20 µg/kg/min 적정하며 정주	두통, 호흡 곤란, 심계항진, 부정맥, 메스꺼움, 구토, 급성 신부전	심전도, 혈압 모니터링
퓨로세마이드 (라식스) Furosemide	이뇨제	폐부종, 체액 과부하	1 mg/kg 정주 (최대 20 m)	두통, 쇠약, 현기증, 청력 및 시력 문제, 구강 건조, ECG 변화, 메스꺼움, 구토, 설사, 복부 경련, 다뇨, 당뇨증, 근육 경련, 발한, 두드러기, 고혈당, 빈혈, 저칼륨혈증, 저나트륨혈증, 대사성 알칼리증	혈청 BP, BUN, 크레아티닌 및 전해질 (특히 칼륨) 모니터링
하이드로코티손 Hydrocortisone	스테로이드	부신 기능 부전	2 mg/kg (최대 100 mg) 정주	심리적 징후, 감염, 시야 흐림, 고혈압, 설사, 메스꺼움, 구토, 골다공증, 홍조, 발한, 상처 치유 지연, 고혈당	감염 징후 주의
이프라트로피움 Ipratropium	항콜린성 기관지 확장제	천식	20분마다 250-500 µg 흡입시킴	불안, 현기증, 두통, 구강건조, 시야흐림, 기침, 기관지경련, 두근거림, 메스꺼움, 구토, 발진	산소포화도 모니터링
리도케인 Lidocaine	항부정맥제	심실세동, 무맥성 심실빈맥, 넓은 QRS 빈맥	1 mg/kg 정주 후 20-50 µg/kg/ min 지속 정주	중추신경계 증상, 이명, 시야흐림, 저혈압, 심장차단, 서맥, 심장정지, 호흡 곤란, 호흡억제, 메스꺼움, 구토, 발진	심전도, 혈압 모니터링 wide QRS 서맥은 금기

의약품	분류	적응증	용량/투여	가능한 부작용	고려 사항
황산마그네슘 Magnesium Sulfate	전해질	무맥성 torsades de pointes	25-50 mg/kg (최대 2 g) 정주	혼돈, 진정, 쇠약, 호흡억제, 저혈압, 심장차단, 서맥, 심장마비, 메스꺼움, 구토, 근육경련, 홍조, 발한	ECG, 산소 및 BP 모니터링 맥박 있는 torsades de pointes인 경우 25-50 mg/kg (최대 2 g) 정주 빠른 정주는 저혈압과 서맥 유발
메틸프레드니솔론 Methylprednisolone	스테로이드	천식, 아나필락시스	2 mg/kg (최대 60 mg) 정주 후 6시간마다 0.5 mg/kg 정주	우울증, 두통, 허약, 고혈압, 설사, 메스꺼움, 췌장염, 궤양, 골다공증, 고혈당	
밀리논 Milrinone	강심제, 혈관 확장제	심인성 쇼크 심부전	10-60분 동안 50 μg/kg 정주 후 0.25-0.75 μg/kg/min 지속 정주	두통, 떨림, 저혈압, 심실부정맥, 협심증, 구역, 구토, 황달, 저칼륨혈증	심전도, 혈압 모니터링 혈소판 수 모니터링 저혈량증 교정 필요시 더 긴 주입 시간 유지
날록손 Naloxone	오피오이드 길항제	마약 역전	1-5 μg/kg 정주하며 적정 완전 가역 상황에서는 2분마다 0.1 mg/kg (최대 2 mg)	발작, 졸음, 빠른 호흡수, 폐부종, VF, VT, 빈맥, 수축기, 고혈압 메스꺼움, 구토	심전도, 산소포화도, 혈압 모니터링 필요시 호흡보조하며 정주
프로케인아마이드 Procainamide	항부정맥제	심실상빈맥, 심방 조동 (flutter) 맥박이 있는 심실빈맥	30-60분 동안 15 mg/kg 지속 정주	두통, 현기증, 혼돈, 쇠약, 저혈압, QT 간격 연장, 심방차단 및 심장정지, 구역, 구토, 설사, 발진, 부종, 빈혈, 호중구감소증	심전도 (특히 QT 간격), 혈압 모니터링
터부탈린 Terbutaline	기관지 확장제	천식	0.1-10 μg/kg/min 지속 정주	중추신경계 증상, 심계항진, 빈맥, 구역, 구토, 부정맥, 저혈압	심전도, 산소포화도, 혈압 모니터링 저칼륨혈증 환자 조심
바소프레신 Vasopressin	항이뇨 호르몬 유사체	심장정지, 패혈성 쇼크	0.4-1 unit/kg 정주	빌열, 현기증, 부정맥, 고혈압, 구역, 구토, 복통, 두드러기	혈압 모니터링 약물의 혈관외 유출은 조직 괴사 발생

찾아보기

ㅇ

ㅈ